FRANÇAIS LANGUE SECONDE ~ NIVEAU DÉBUTANT

En avant la grammaire!

Flavia Garcia

Cahier d'activités
de grammaire
en situation

marceldidier

Catalogage avant publication de Bibliothèque et Archives nationales du Québec et Bibliothèque et Archives Canada

Garcia, Flavia
    En avant la grammaire ! : cahier d'activités de grammaire en situation. 2e éd.
    (En avant la grammaire !) Pour les étudiants en français langue seconde, niveau débutant.

    ISBN : 978-2-89144-408-8
    1. Français (Langue) – Grammaire – Problèmes et exercices.   2. Français (Langue) – Manuels pour allophones.
    I. Titre   II. Collection

    PC2128.G37 2006   448.2'4076   C2006-941617-6

L'Éditeur tient à exprimer sa reconnaissance aux pédagogues qui ont accepté de lire et de commenter le manuscrit avant la publication : Marguerite Hardy (MICC/UQAM), Sophie Beaulieu (Children's World Academy) et Yves Martineau.

Responsables éditoriales : Miléna Stojanac et Nathalie Savaria
Révision pédagogique : Pascale Chrétien
Préparation de copie : Nathalie Parisée
Correction d'épreuves : Christine Barozzi
Illustrations : Daniel Shelton
Conception et réalisation de la couverture et de l'intérieur : Interscript

Nous reconnaissons l'aide financière du Gouvernement du Canada par l'entremise du Programme d'aide au développement de l'industrie de l'édition (PADIÉ) pour nos activités d'édition.

ISBN : 978-2-89144-408-8

Dépôt légal – 4e trimestre 2006
Bibliothèque et Archives nationales du Québec
Bibliothèque et Archives Canada

Marcel Didier inc.
1815, avenue De Lorimier
Montréal (Québec) CANADA H2K 3W6
Téléphone : 514 523-1523
Télécopieur : 514 523-9969
www.marceldidier.com

Diffusion-distribution au Canada : Distribution HMH • www.distributionhmh.com
Diffusion-distribution en France : Librairie du Québec à Paris • www.librairieduquebec.fr
Distribution Suisse et Belgique : Servidis • www.servidis.ch

Réimprimé au Canada en mars 2010, Imprimerie Lebonfon, Val-d'Or (Québec).

Préface

Tous ceux et toutes celles qui réclamaient un cahier d'activités grammaticales communicatives pour débutants vont être ravis. Tous ceux et toutes celles qui ont apprécié dans *En avant la grammaire!* (niveau intermédiaire) des activités comme «Deux fins de semaine bien différentes», «Inondations à Montréal» ou «Faits divers» pour l'utilisation du passé composé, comme «Un vol de banque» pour une utilisation et une manipulation distinctes de l'imparfait et du passé composé, ou comme «Projets de rénovations» pour l'adjectif qualificatif, vont également être bien contents, car sort enfin le nouveau manuel de Flavia Garcia, *En avant la grammaire!* (niveau débutant).

On trouvera dans *En avant la grammaire!* (niveau débutant) les activités et les tableaux tant attendus sur le présent de l'indicatif, sur les déterminants, sur les pronoms démonstratifs et interrogatifs, sur l'infinitif et les auxiliaires modaux, sur l'interrogation, sur les expressions de temps et d'espace, et enfin sur les relations logiques de cause, de conséquence, d'opposition et de comparaison.

Rappelons d'abord que *En avant la grammaire!* (niveau débutant) ne prétend pas être une grammaire pédagogique qui nous répéterait pour la énième fois les mêmes règles de grammaire tout comme n'importe quelle autre grammaire traditionnelle, et que ce manuel se base sur des explications simples à donner aux élèves. C'est d'abord et avant tout un cahier d'activités grammaticales. Car enfin quelqu'un se penche sur le fait de rendre la grammaire un peu plus ludique et surtout moins scolaire (entendre parfois bêtement mécanique). Quel est le côté attrayant d'un tel cahier d'activités et quels en sont les avantages? Les activités sont pour la plupart contextualisées et signifiantes; elles sont drôles.

En effet, on propose de faire faire aux élèves des activités intelligentes et amusantes (par exemple, l'activité intitulée «Un problème de poids» ou «Zut alors!»). Et j'emploie *activités* à dessein, et non *exercices*... car le terme «exercice» tient davantage du vocabulaire, disons, militaire. Les élèves apprécieront, car les activités que nous propose Flavia Garcia sont tout de même plus intéressantes que des exercices à trous, même s'il faut toujours systématiser (il y a d'ailleurs des exercices à trous dans le présent manuel). Ce sont des activités grammaticales en situation qui nous sont présentées: dans le livre précédent, on avait des activités tel «L'agenda»; dans celui-ci, on trouve «*Burnout*» ou encore «Entrevue avec Bernard Voyer». Les élèves pourront aller jusqu'à se dire qu'avec le présent ouvrage, «La grammaire, c'est l'fun, madame!»

En outre, les activités grammaticales de *En avant la grammaire!* (niveau débutant) sont culturellement situées. Que peut demander de plus un professeur! Ainsi, par exemple, les activités sur l'identification, sur «Mon pays» de Gilles Vigneault, sur «Ça fait combien?», sur «Qu'est-ce qu'on fait samedi soir?» ou sur «Produits d'ici et d'ailleurs». Sans compter les différences de genre, ou *gender differences*, également culturellement situées dans l'activité «Travail et famille».

Nous sommes donc heureux et heureuses en tant que pédagogues, professeurs et professeures, didacticiens et didacticiennes, de pouvoir profiter de ces activités grammaticales en situation. Les activités contenues dans *En avant la grammaire!* (niveau débutant) témoignent du fait que lorsqu'on a de l'imagination, on peut rendre la grammaire intéressante, sinon motivante... Mais en plus, quand on a beaucoup d'expérience, l'amour de la langue et celui de la pédagogie, on peut faire de grandes choses. Et Flavia Garcia a tout cela.

Astrid Berrier, Ph.D.
Professeure de didactique
Département de linguistique et de didactique des langues
Université du Québec à Montréal
Février 2000

Avant-propos

Destinés à l'enseignement du français, langue seconde, aux jeunes et aux adultes, les exercices et les activités de *En avant la grammaire!* présentent ici aux débutants certaines particularités grammaticales du français dans des contextes hautement significatifs.

Ainsi les étudiants trouveront-ils dans ce cahier l'outil idéal pour expérimenter des situations de communication orale et écrite intégrant des énoncés dans leur forme correcte.

Chaque sujet ouvre une double perspective : le fonctionnement syntaxique et morphologique d'un élément grammatical, et son utilisation concrète dans des contextes de communication variés, empruntés à la vie quotidienne des étudiants.

Les chapitres comportent trois parties :

• Un tableau grammatical qui donne aux étudiants une vue d'ensemble d'une particularité grammaticale du français.

• Des activités et des exercices de grammaire contextualisés grâce auxquels les étudiants pourront se familiariser, à l'oral comme à l'écrit, avec certains aspects fonctionnels du français.

• Des tableaux d'entraînement à contexte communicationnel restreint, autant d'occasions d'utiliser systématiquement différentes fonctions syntaxiques ou morphologiques du français. En combinaison avec les activités grammaticales, les tableaux d'entraînement facilitent ainsi l'apprentissage de certaines notions langagières.

Comme *En avant la grammaire!* favorise l'apprentissage de la communication, nous avons ajouté aux activités et aux exercices des exemples de différents registres de langue, rendant compte de la diversité des choix linguistiques possibles en français. De la sorte, des expressions appartenant au français familier et couramment utilisées à l'oral côtoient des exemples de français soutenu, surtout présents dans le discours écrit.

Enfin, le choix des exercices et des activités de *En avant la grammaire!* s'arrime aux aspects linguistiques présentés aux étudiants débutants dans un grand nombre de cours. L'ensemble des exercices et des activités constitue une banque dont la gestion incombe soit aux étudiants soit aux enseignants, selon les besoins et les difficultés qu'ils éprouveront tout au long du parcours.

Ce livre est dédié à ma fille.

Flavia Garcia

Table des matières

Le présent de l'indicatif

Sommaire

Tableau grammatical

Le présent de l'indicatif

1. Le verbe *être*

Forme affirmative	Forme négative
Je **suis** infirmière.	Je **ne suis pas** en vacances.
Tu **es** chauffeur de camion.	Tu **n'es pas** fatigué.
Il (elle, on) **est** aimable.	Elle (il, on) **n'est pas** stupide.
Nous **sommes** à Québec.	Nous **ne sommes pas** de retour.
Vous **êtes** contents.	Vous **n'êtes pas** bien.
Elles (ils) **sont** en retard.	Ils (elles) **ne sont pas** de bonne humeur.

2. Le verbe *avoir*

Forme affirmative	Forme négative
J'**ai** beaucoup d'amis.	Je **n'ai pas** de voiture.
Tu **as** 10 dollars.	Tu **n'as pas** d'amis.
Elle (il, on) **a** trois enfants.	Il (elle, on) **n'a pas** de chance.
Nous **avons** du travail.	Nous **n'avons pas** d'enfants.
Vous **avez** le temps.	Vous **n'avez pas** d'argent.
Ils (elles) **ont** soif.	Elles (ils) **n'ont pas** d'animaux.

3. Verbes du 1er groupe terminés en –ER, sauf *ALLER*

Le verbe *quitter*

Forme affirmative		Forme négative
–E	Je quitt**e**	Je ne quitt**e** pas
–ES	Tu quitt**es**	Tu ne quitt**es** pas
–E	Elle (il, on) quitt**e**	Elle (il, on) ne quitt**e** pas
–ONS	Nous quitt**ons**	Nous ne quitt**ons** pas
–EZ	Vous quitt**ez**	Vous ne quitt**ez** pas
–ENT	Ils (elles) quitt**ent**	Ils (elles) ne quitt**ent** pas

4. Quelques exemples de verbes terminés en –ER

acheter	commencer	entrer	inviter	préférer	réparer
admirer	danser	étudier	louer	préparer	rester
aimer	demeurer	fermer	manger	prêter	terminer
arrêter	donner	fumer	marcher	quitter	travailler
arriver	écouter	gagner	parler	regarder	visiter

Exemples
Nous travaill**ons** dans le Grand Nord québécois.
Vous n'achet**ez** pas cette maison ?

Exception   Le verbe *aller*

Le verbe *aller*

Forme affirmative	Forme négative
Je **vais**	Je ne **vais** pas
Tu **vas**	Tu ne **vas** pas
Elle (il, on) **va**	Elle (il, on) ne **va** pas
Nous all**ons**	Nous n'all**ons** pas
Vous all**ez**	Vous n'all**ez** pas
Ils (elles) **vont**	Ils (elles) ne **vont** pas

5. Cas particuliers : les verbes terminés en –AYER, –OYER, –UYER

Les verbes *essayer*, *envoyer*, *essuyer*

Le verbe *essuyer*

Forme affirmative	Forme négative
J'essu**ie**	Je n'essu**ie** pas
Tu essu**ies**	Tu n'essu**ies** pas
Elle (il, on) essu**ie**	Elle (il, on) n'essu**ie** pas
Nous essuy**ons**	Nous n'essuy**ons** pas
Vous essuy**ez**	Vous n'essuy**ez** pas
Ils (elles) essu**ient**	Ils (elles) n'essu**ient** pas

Exemples
Qui essu**ie** la vaisselle ?
Vous essay**ez** cette robe ?

6. Verbes pronominaux terminés en –ER

Le verbe *se reposer*

Forme affirmative	Forme négative
Je me repos**e**	Je ne me repos**e** pas
Tu te repos**es**	Tu ne te repos**es** pas
Elle (il, on) se repos**e**	Elle (il, on) ne se repos**e** pas
Nous nous repos**ons**	Nous ne nous repos**ons** pas
Vous vous repos**ez**	Vous ne vous repos**ez** pas
Ils (elles) se repos**ent**	Ils (elles) ne se repos**ent** pas

Exemples   Je me promèn**e** avec mon copain.
À quelle heure est-ce que tu te lèv**es**?

7. Quelques verbes pronominaux terminés en –ER

se blesser
se brosser (les cheveux, les dents)
se casser (une jambe, un bras)
se chausser
se coucher
se dépêcher
se diriger
s'essuyer (le visage, les mains)
se frotter (les mains)
se gratter (la tête, la main, le coude)
s'habiller
se laver

se laver (les mains)
se limer (les ongles)
se maquiller
se nettoyer (le visage, les oreilles)
se parfumer
se peigner
se promener
se raser (la barbe)
se regarder
se reposer
se réveiller
se sécher (les cheveux)

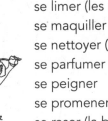

SE PARFUMER

SE RASER

SE GRATTER LA TÊTE

SE PROMENER

8. Verbes du 3ᵉ groupe

terminés en consonne + –IR

	sortir
Je so**rs**	dormir
Tu so**rs**	partir
Elle (il, on) so**rt**	servir
Nous so**rtons**	
Vous so**rtez**	
Ils (elles) so**rtent**	

terminés en –NDRE

	répondre
Je répon**ds**	attendre
Tu répon**ds**	descendre
Elle (il, on) répon**d**	
Nous répon**dons**	
Vous répon**dez**	
Ils (elles) répon**dent**	

	prendre
Je pren**ds**	apprendre
Tu pren**ds**	comprendre
Elle (il, on) pren**d**	
Nous pre**nons**	
Vous pre**nez**	
Ils (elles) pren**nent**	

Exemples
Tu **dors** ici cette nuit.
Vous ne **partez** pas
maintenant?
Qu'est-ce que je te **sers**?

Exemples
Ils **descendent** tout à l'heure.
Tu ne **réponds** pas
au téléphone?
Quand est-ce qu'on **répond**?

Exemples
Que **prenez**-vous?
Le matin, je **prends**
un verre de jus.

terminés en –IRE

	lire conduire réduire traduire		**vivre** écrire suivre		**dire**
Je lis		Je vis		Je dis	
Tu lis		Tu vis		Tu dis	
Elle (il, on) lit		Elle (il, on) vit		Elle (il, on) dit	
Nous lisons		Nous vivons		Nous disons	
Vous lisez		Vous vivez		Vous dites	
Ils (elles) lisent		Ils (elles) vivent		Ils (elles) disent	

Exemples

Elle **traduit** sa lettre.
Nous ne **conduisons**
pas encore.
Tu **lis** des romans
ou des magazines?

Exemples

Qu'est-ce que tu **écris**?
J'**écris** un manuel
de jardinage.
Vous **vivez** à la campagne?

Exemples

Vous **dites** qu'il arrive
dimanche?
Que **dis**-tu?

Le verbe *faire*

Je fais
Tu fais
Elle (il, on) fait
Nous faisons
Vous faites
Ils (elles) font

Exemples

On **fait** le ménage à deux?
Nous ne **faisons** pas de
ménage aujourd'hui.
Ils **font** de la planche à voile.

terminés en –OIR

	recevoir devoir
Je reçois	
Tu reçois	
Elle (il, on) reçoit	
Nous recevons	
Vous recevez	
Ils (elles) reçoivent	

terminés en –AÎTRE

	connaître paraître		**ouvrir** découvrir offrir
Je connais		J'ouvre	
Tu connais		Tu ouvres	
Elle (il, on) connaît		Elle (il, on) ouvre	
Nous connaissons		Nous ouvrons	
Vous connaissez		Vous ouvrez	
Ils (elles) connaissent		Ils (elles) ouvrent	

Exemples

Nous **recevons**
nos amis samedi.
Je **dois** venir aussi?

Exemples

Je **connais** cette adresse.
Tu la **connais**?
La Presse **paraît**
tous les jours.

Exemples

Tu **ouvres** la porte,
s'il te plaît?
Je lui **offre** un bouquet
de roses.

	voir croire		**mettre** battre		**venir** tenir
Je v**ois**		Je met**s**		Je vien**s**	
Tu v**ois**		Tu met**s**		Tu vien**s**	
Elle (il, on) v**oit**		Elle (il, on) me**t**		Il (elle, on) vien**t**	
Nous voy**ons**		Nous mett**ons**		Nous ven**ons**	
Vous voy**ez**		Vous mett**ez**		Vous ven**ez**	
Ils (elles) voi**ent**		Ils (elles) mett**ent**		Elles (ils) vienn**ent**	

Exemples

Tu **vois** la dame, là-bas,
près de la fenêtre ?
Je **crois** que je la **vois**.

Exemples

On **met** de la farine
et du citron ?
Vous **mettez** plutôt
du sucre.

Exemple

Nous **venons** de Québec.

Le verbe *boire*

Je b**ois**
Tu b**ois**
Il (elle, on) b**oit**
Nous buv**ons**
Vous buv**ez**
Elles (ils) boiv**ent**

We ⟶

They ⟶

Exemples

Buvez-vous du lait ?
Je ne **bois** pas de lait.

9. Mots exprimant la fréquence utilisés avec le présent

chaque jour, semaine, mois, etc.
de temps en temps
d'habitude
en général
parfois
quelquefois
souvent
toujours

tous les jours
tous les deux jours
tous les trois jours
tous les trois mois
un jour sur deux
une fois par mois, une fois par année
une fois par semaine

une fois par année

1

Objectifs grammaticaux
Les verbes *s'appeler*, *être*
Quel(le) (s)
Tu/vous

Objectif de communication
Faire connaissance.

Animal totem

A. Lisez le dialogue suivant. Jouez-le ensuite avec un ou une partenaire.

YS : – *Salut, ça va ?*

N : – *Oui, merci.*

YS : – *Ton nom ?*

N : – *Nathalie.*

YS : – *Enchanté.*

N : – *Et toi ?*

YS : – *Yu Shuan.*

N : – *Yu Shuan. C'est très joli.*
Quel est ton pays de résidence ?

YS : – *Je viens de la Chine, et toi ?*

N : – *Je suis serbe. Quel est ton animal totem ?*

YS : – *C'est le chien. Et toi ? Quel animal totem*
te représente ?

N : – *La girafe.*

YS : – *Salut ! À tout à l'heure.*

B. Observez les personnages. En équipes, composez ensuite des dialogues oralement.
Utilisez les énoncés des encadrés.

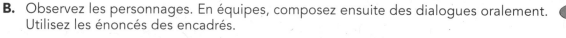

Les questions

- Comment vous appelez-vous ?
- Comment t'appelles-tu ?
- Quel est votre nom ?
- Votre nom ?
- Vous êtes… ?
- Tu es… ?
- Ton nom ?
- Quel est ton/votre pays de résidence ?
- Quelle est ta/votre nationalité ?
- Quelle est votre ville ?
- Vous êtes (nationalité) ?
- Tu es (nationalité) ?

Formules pour saluer, interagir

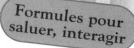

- Enchanté.
- Moi aussi.
- Merci.
- À tout à l'heure.
- Bonjour !
- Comment ça va ?
- Salut !
- Ça va ?

Prénom : **Lucien**

Nationalité : **française**

Pays/ville de résidence :
France, Lille

Animal totem : **papillon**

Prénom : **Abdoul**

Nationalité : **pakistanaise**

Pays/ville de résidence :
États-Unis, Seattle

Animal totem : **éléphant**

Prénom : Andrés

Nationalité : colombienne

Pays/ville de résidence :

Canada, Montréal

Animal totem : baleine

Prénom : **Nancy**

Nationalité : **canadienne**

Pays/ville de résidence :
Canada, Winnipeg

Animal totem : **ours**

Prénom : **Chris**

Nationalité : **américaine**

Pays/ville de résidence :
États-Unis, San Francisco

Animal totem : **fourmi**

Prénom : Guergana

Nationalité : bulgare

Pays/ville de résidence :

Canada, Trois-Rivières

Animal totem : chat

C. Écrivez ci-dessous le dialogue entre Lucien et Nancy.

Exemple   – Lucien : **Bonjour, quel est ton nom ?** _____

– _____

– _____

– _____

– _____

– _____

– _____

– _____

– _____

– _____

– _____

– _____

– _____

– _____

Objectif grammatical
Formules de salutation

Objectif de communication
Saluer quelqu'un.

Bonjour! Au revoir!

A. Trouvez le dialogue qui correspond à chaque illustration en indiquant le numéro approprié dans la case. Jouez-les ensuite avec un ou une partenaire.

1. – Bonjour! Comment ça va?

– Ça va bien, merci.

– Et les enfants?

– Très bien. Ils vont à l'école.

– Salut!

2. – Salut tout le monde!

– Salut! Ça va?

– Oui, super!!!

3. – Salut, à demain!

– À demain, bonne soirée!

4. – Allô!

– Allô, Guylaine.

– Ah! Bonjour, Pedro. Comment vas-tu?

– Très bien, et toi?

– Moi aussi, ça va. Merci.

5. – Allô, est-ce que Rémo est là?

– Désolé, il n'est pas là.

– Merci, au revoir.

– Au revoir.

6. – Au revoir!

– Au revoir! Porte-toi bien.

B. À l'aide des éléments de l'encadré, composez quatre dialogues.
Jouez-les ensuite devant la classe.

> Bonjour ! – Salut ! – Ça va ? – Comment ça va ? – Comment vas-tu ? – Comment va Paul ? –
> Comment allez-vous ? – Ça va bien. – Ça va très bien. – Pas très bien. – Pas pire.* – Comme ci,
> comme ça. – En forme ! – Moi aussi. – Au revoir ! – À la prochaine ! – Bonne journée ! –
> Bonne soirée ! – Allô ! – Est-ce que … est là ? – Merci. – Désolé.

* Registre québécois familier.

Dialogue

- _____
- _____
- _____
- _____
- _____

Dialogue

- _____
- _____
- _____
- _____
- _____

Dialogue

- _____
- _____
- _____
- _____
- _____

Dialogue

- _____
- _____
- _____
- _____
- _____

Objectifs grammaticaux
Les chiffres
La forme interrogative avec **quel(le)**

Objectif de communication
Demander et donner l'heure.

C'est l'heure!

A. Regardez les horloges, les montres et les réveils ci-dessous. Écrivez ensuite l'heure appropriée dans les espaces vides. Choisissez vos réponses dans l'encadré.

> Il est deux heures moins vingt. – Il est dix heures et quart. – Il est six heures cinq. –
> Il est trois heures moins le quart. – Il est une heure et demie. – Il est onze heures.

1. Il est 10h 15   **2.** Il est une hume et 40   **3.** Il est 1 h et derie

4. Il est 6h 5   **5.** Il est 3h moins le quart   **6.** Il est onze hurre

B. Remplissez les blancs en indiquant l'heure. Puis, avec un ou une partenaire, jouez les scènes.

C. Regardez l'illustration ci-dessous. Samuel a seulement une heure pour tout faire. Dites à quelle heure il accomplit chaque chose. Écrivez vos réponses dans les espaces prévus à cette fin.

1. À _3 h Quarante-cinq_ , il va chez le nettoyeur.
2. À _3 h et quart_ , il passe à la banque.
3. À _4 h_ , il va au supermarché.
4. À _3 h_ , il téléphone à son client.
5. À _3 h cinq_ , il passe chez son garagiste.
6. À _3 h et demie_ , il va à l'école de son fils Bruno.

4

Objectifs grammaticaux
Il fait, *c'est* + adjectif
C'est + nom

Objectif de communication
Parler de la météo.

Météo à la carte

A. Dites quel temps il fait, au mois de janvier, dans les villes suivantes.
Utilisez les expressions de l'encadré.

Au mois de janvier...

il fait beau – il fait chaud – il fait froid – il fait soleil – il neige – il pleut –
c'est l'hiver – c'est l'été – c'est nuageux

Le Stade olympique

une église russe orthodoxe

En 1976, il y avait les Jeux Olympiques

À Montréal *il fait beau*   À Vancouver *il fait froid*   À Moscou *il fait soleil*

en Argentine

À Buenos Aires *il fait chaud*   À Pékin *il fait beau*   À Mexico *il fait chaud*

La Porte

Le parlement

une horloge   Big Ben

Le pont du Golden Gate

en Allemagne

À Berlin *il fait froid*   À Londres *il fait nuageux*   À San Francisco *il fait du brouillard*

Les Jeux Olympiques sont à Londres en 2012

Le présent de l'indicatif

B. Et au mois de juillet ? Avec un ou une partenaire, parlez du temps qu'il fait au mois de juillet dans d'autres villes du monde.

C. Voici les prévisions météorologiques pour la semaine. Lisez-les, puis illustrez-les sur les cartes du Québec et des Caraïbes.

1. Aujourd'hui, 25 mai,
il fait beau à Montréal.
C'est le printemps ! Nous avons du soleil
à Sherbrooke et dans les Laurentides.
Il fait très beau aussi à Ottawa.
Mais il y a quelques nuages
à Rivière-du-Loup et de la pluie
en Gaspésie.

2. Dans le Sud,
il fait beau et chaud :
30 °Celsius à Cuba et 28 en Floride.
Bonnes vacances !

Qui est qui ?

A. Lisez la description des trois personnes. En équipes, parlez de leur vie.

Renseignements généraux

	Antoine Lamoureux	Ghislaine Dupont	Rodrigo Diaz
MÉTIER	• journaliste	• comptable	• boulanger
ÉTAT CIVIL	• marié	• célibataire	• divorcé
ÂGE	• 43 ans	• 27 ans	• 55 ans
NATIONALITÉ	• canadienne	• française	• salvadorienne
SIGNE ASTROLOGIQUE	• Verseau	• Gémeaux	• Bélier
ENFANTS	• 2	• aucun	• 1
LOGEMENT	• maison en rangée à Montréal	• condominium* au centre-ville	• condominium* à Québec
VOITURE	• berline familiale	• petite deux portes	• camionnette
VÉLO	• non	• vélo de montagne	• vélo de course
CHALET	• non	• oui (bord du lac du Cœur)	• oui
CHAT	• non	• 1 : Napoléon	• non
CHIEN	• fox-terrier : Gertrude	• non	• non
LIEU DE TRAVAIL	• journal *Affaires*	• bureau à domicile	• commerce

Caractéristiques physiques

YEUX	• bruns	• bleus	• noirs
CHEVEUX	• bruns	• blonds	• gris
TAILLE	• grand	• petite	• petit
Traits de caractère	• sens de l'humour sens du leadership	• sociable, généreuse	• gentil, sociable
Passe-temps	• lecture, cinéma, écouter de la musique	• quilles, voyages, bricolage	• restaurant, ski, planche à voile
Autres renseignements	• membre du parti Vert	• présidente de l'Association de patinage sportif du Québec	• collectionneur de timbres

* Au Québec, le mot « condominium » est d'usage courant pour désigner une *copropriété*.

B. Décrivez Antoine, Ghislaine et Rodrigo.

Antoine

Il est journaliste
Il a 43 ans
Il n'a pas de chat
Il a un chien
Il a une voiture

Ghislaine

Elle est comptable
Elle a une petite voiture avec 2 porte
Elle est célibataire
Elle a un chat et un vélo de
montagne
Son chat s'appelle Napoléon

Rodrigo

Il est divorcé
Il a 55 ans
Il est boulanger
Il n'a pas de chat
Et n'a pas de chein

Métiers

A. En équipes, dites ce que fait chacune de ces personnes. Choisissez les énoncés de la liste.

le disquaire

la présentatrice
des nouvelles

l'agriculteur

l'athlète

le médecin

le réalisateur

1. Il, elle se lève très tôt.
2. Il, elle travaille la nuit.
3. Il, elle fait une heure de course à pied par jour.
4. Il, elle travaille dans un laboratoire.
5. Il, elle pose des questions aux gens.
6. Il, elle fait des discours.
7. Il, elle voyage beaucoup.
8. Il, elle écrit des histoires.
9. Il, elle travaille en équipe.
10. Il, elle écoute de la musique.
11. Il, elle travaille le jour.
12. Il, elle travaille en uniforme.
13. Il, elle travaille avec le public.
14. Il, elle répond à des questions.
15. Il, elle lit les journaux tous les jours.
16. Il, elle se couche souvent tard.
17. Il, elle porte des gants pour travailler.
18. Il, elle participe à des compétitions.
19. Il, elle a un travail dangereux.
20. Il, elle prend des vitamines.
21. Il, elle mange à la cafétéria.
22. Il, elle mange souvent au restaurant.
23. Il, elle a beaucoup de temps libre.
24. Il, elle regarde beaucoup de films.
25. Il, elle écrit des articles.
26. Il, elle rencontre beaucoup de gens.

la politicienne

le chercheur

l'artiste peintre

la pompière

B. Complétez les phrases.

1. La pompière

_____

2. Le disquaire

_____

3. Le chercheur

_____

4. L'agriculteur

_____

5. Le réalisateur

_____

6. La politicienne

_____

7. L'artiste peintre

_____

8. La présentatrice des nouvelles

_____

9. Le médecin

_____

10. L'athlète

_____

C. Décrivez Richard Desbiens en parlant de sa vie professionnelle.
Utilisez l'espace prévu ci-dessous.

Richard Desbiens, illustrateur

J'ai un bureau à la maison. Je travaille chez moi.
Mon travail est intéressant, mais un peu stressant
à cause des échéances. Je fais mes dessins
à la main. J'utilise le crayon à mine,
mais parfois aussi des pastels.

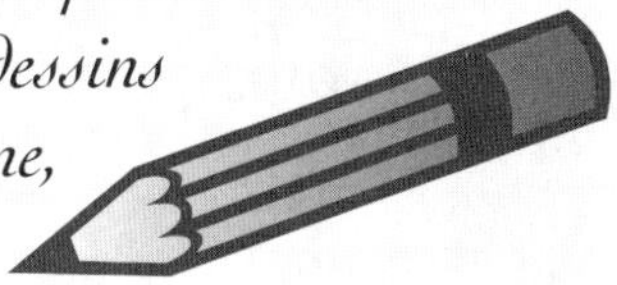

Richard Desbiens est illustrateur, il... _____

_____

_____

_____

7

Objectif grammatical
Les verbes **faire**, **aimer**
et **jouer** au présent

Objectif de communication
Parler de ses goûts et de ses préférences.

Sports et activités

A. En équipes, parlez des activités sportives que vous préférez. En suivant les exemples, écrivez vos phrases dans les espaces prévus.

Exemple   Vous faites du karaté ?   Non, je préfère le tennis.

du ski alpin

de la planche à voile

de la bicyclette

Sports

du badminton
du basket-ball
du football
du karaté
du patin à roues alignées
du patin à glace
du ski de randonnée
de l'équitation
de l'escalade
de la course à pied
de la glissade
de la natation
de la randonnée pédestre
de la voile
du ski alpin
de la planche à voile
de la bicyclette
du golf
du tennis
du hockey

du hockey

du tennis

du golf

* Est-ce que tu fais _____

_____

_____

_____

_____

_____

_____

_____

B. En équipes, parlez des travaux domestiques que vous préférez. En suivant les exemples, écrivez vos phrases dans les espaces prévus.

Exemples   Vous aimez les courses ?   Et le bricolage ?
           Non, je préfère le ménage.   Nicolas, mon ami, fait du bricolage. Pas moi !

du jardinage

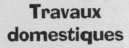

Travaux domestiques

la lessive

le ménage

le nettoyage des vitres

le rangement des objets

le repassage

du bricolage

de la couture

du tricot

les courses

de la peinture de meubles

du jardinage

le repassage

de la peinture de meubles

J'aime faire le ménage j'aime faire de la peinture de mubles

C. En équipes, parlez des instruments de musique que vous préférez. En suivant les exemples, écrivez vos phrases dans les espaces prévus.

Exemple   Vous jouez d'un instrument de musique?
Oui, je joue du violon.

Musique

du piano

du saxophone

du violon

du violoncelle

de la batterie

de la harpe

de la flûte

de la trompette

de la guitare

de la guitare

de la flûte

de la trompette

× Paul joue de la trompette

× Henri joue du la trompette.

× × Sylvie et Diane jouent du piano

× × Georges et Mohammed jouent du piano

8

Objectif grammatical
Les verbes *être* et *avoir*

Objectif de communication
Décrire une situation de la vie quotidienne.

À propos des ordinateurs...

A. Lisez le texte ci-dessous et répondez aux questions par vrai ou faux.

40 % des foyers canadiens possèdent un ordinateur

Quarante pour cent des foyers canadiens possèdent un ordinateur personnel, dont plus de la moitié ont accès à Internet, selon un sondage mené par la firme Environics Research, rendu public hier.

Selon ce sondage, réalisé auprès de 2 013 personnes en mars et avril, les propriétaires d'ordinateurs personnels sont des adultes de moins de 60 ans, occupant un emploi à plein temps de cadre ou de technicien. Le revenu de la famille s'établit à plus de 35 000 $ par an. Ceux qui ont accès à Internet sont en général de sexe masculin et ont de 18 à 29 ans ou de 45 à 59 ans.

Par ailleurs, 31 % des Canadiens – 74 % étant de sexe masculin, âgés en général de 18 à 44 ans – possèdent des systèmes de jeux vidéo. Les auteurs du sondage remarquent que ce sont de moins en moins souvent des enfants, puisque 42 % sont âgés de plus de 18 ans.

	Vrai	Faux
1. 80 % des Canadiens ont un ordinateur à la maison.	❏	❏
2. Moins de 300 personnes ont participé à ce sondage.	❏	❏
3. Les propriétaires d'ordinateurs sont surtout des adultes de plus de 60 ans.	❏	❏
4. La plupart des propriétaires d'ordinateurs gagnent plus de 35 000 $ par année.	❏	❏
5. La plupart des propriétaires d'ordinateurs ont un travail régulier.	❏	❏
6. L'accès à Internet est surtout associé aux hommes.	❏	❏
7. Les enfants ont des jeux vidéo.	❏	❏
8. En général, les hommes adultes de moins de 44 ans ont des jeux vidéo.	❏	❏

B. Selon vous, pourquoi les gens de 18 à 29 ans et ceux de 45 à 59 ans naviguent-ils dans Internet ? Pourquoi ceux qui ont entre 29 et 45 ans utilisent-ils moins Internet ?

1. Ils ont des enfants jeunes.
2. Ils ont le temps.
3. Ils n'ont pas d'obligations.
4. Ils n'ont pas encore d'enfants.
5. Ils sont à la recherche d'un emploi.
6. Ils sont souvent à la retraite.
7. Ils utilisent Internet pour s'amuser.
8. Ils utilisent Internet pour chercher des possibilités de carrière.
9. Ils n'ont pas le temps.
10. Ils ont des enfants adolescents ou adultes.
11. Ils cherchent un emploi.
12. Ils annoncent des services.
13. Ils utilisent Internet pour travailler.

C. Pourquoi utilise-t-on Internet? Discutez-en en équipes, puis consignez les réponses.

Les gens âgés de 18 à 29 ans naviguent dans Internet parce que…

   1. _____

   2. _____

   3. _____

   4. _____

   5. _____

Les gens qui ont entre 45 et 59 ans ne naviguent pas dans Internet parce que…

   1. _____

   2. _____

   3. _____

   4. _____

   5. _____

Les gens âgés de 29 à 45 ans naviguent dans Internet parce que…

   1. _____

   2. _____

   3. _____

   4. _____

   5. _____

D. Qu'est-ce qu'on peut faire avec Internet?

Exemple

   1. _Faire des recherches._ _____

   2. _____

   3. _____

   4. _____

   5. _____

9

Objectif grammatical
Le verbe *avoir*,
formes affirmative et négative

Objectif de communication
Exprimer le rapport de possession.

Qui a quoi ?

A. Quels objets, quelles personnes font partie de la vie de Catherine, de Léopold, de Gustav et de Tim ? À partir des informations ci-dessous, parlez de ces objets et de ces personnes. Comparez-les aux personnes que vous connaissez ou aux objets que vous avez.

	Catherine	Léopold	Gustav	Tim
1. Une motoneige		✓		✓
2. Une voiture		✓	✓	
3. Un vélo de montagne				✓
4. Un sac de couchage pour temps froid				
5. Un téléphone cellulaire		✓		
6. Un agenda électronique			✓	
7. Une maison en banlieue			✓	
8. Un condo* en ville				✓
9. Une maison de campagne	✓	✓		
10. Beaucoup de livres	✓	✓		✓
11. Un chien	✓			✓
12. Un chat		✓		
13. Des poissons	✓			
14. Un travail intéressant	✓		✓	
15. Un travail à temps partiel		✓	✓	
16. Une tente	✓		✓	
17. Des enfants		✓		✓
18. Des frères et sœurs	✓			✓
19. Un instrument de musique		✓	✓	
20. Une chambre d'amis à la maison	✓		✓	
21. Une machine à expresso		✓		✓
22. Un patron sympathique			✓	
23. Des amis de différentes nationalités	✓	✓	✓	✓
24. Des amis québécois	✓	✓	✓	✓
25. Un ordinateur portatif		✓	✓	

Handwritten annotations in left margin: sleeping bag (4), electronic diary (6), laptop (25)

* Au Québec, le mot «condominium» (ou «condo») est d'usage courant pour désigner une *copropriété*.

B. Répondez par vrai ou faux.

Catherine

Léopold

Gustav

Tim

	Vrai	Faux
1. Catherine et Léopold ont un condo en ville.	❏	❏
2. Tim a une motoneige.	❏	❏
3. Léopold n'a pas de chien.	❏	❏
4. Gustav et Léopold ont un instrument de musique.	❏	❏
5. Léopold et Gustav ont un emploi à temps partiel.	❏	❏
6. Catherine a des poissons.	❏	❏
7. Gustav et Catherine ont un sac de couchage pour temps froid.	❏	❏
8. Tim a un ordinateur portatif.	❏	❏
9. Tim a un téléphone cellulaire.	❏	❏
10. Catherine a un patron sympathique.	❏	❏
11. Tim a un chien.	❏	❏
12. Léopold et Catherine ont beaucoup de livres.	❏	❏
13. Catherine a une maison à la campagne.	❏	❏
14. Léopold a un chat.	❏	❏

10

Objectif grammatical
Les verbes pronominaux
au présent

Objectif de communication
Décrire des actions de la vie quotidienne.

Un couple soigneux

A. En équipes, décrivez l'illustration. Que font Marie et Pierre tous les jours?

Il se réveille

Il se rase

Il s'habille

Il met ses chaussures

Il sort le chat

Elle se lève

Elle se douche
Elle se sèche
Elle se coiffe
Elle se parfume

Elle se maquille

Elle sort le chien

Ils se rencontrent
Ils se parlent

Objectif grammatical
Les verbes pronominaux
au présent

Objectif de communication
Décrire des actions de la vie quotidienne.

Scènes de vie

A. Complétez les espaces laissés en blanc à l'aide d'un verbe conjugué à la forme pronominale ou non pronominale, selon le cas.

Exemple

habiller/s'habiller

Le père **habille** l'enfant.

Il s'**habille**.

1. laver/se laver

voiture

a) _Elle lave la_

b) _Elle se lave_

2. brosser/se brosser

a) _Elle brosse le chien_

b) _Elle se brosse_
les cheveux

3. chausser/se chausser   **4.** promener/se promener   **5.** coucher/se coucher

a) _____

a) Elle promène le chien

a) Il couche l'enfant

b) _____

b) Elle se promène

b) Il se couche

B. Complétez les phrases en utilisant les verbes proposés ci-dessous.

> se renseigner – s'offrir des cadeaux – se baigner – se reposer – se servir – se dépêcher –
> se déguiser – se faire couper les cheveux

1. À l'occasion de l'Halloween, les enfants _____.
2. À l'occasion de la Saint-Valentin, les gens _____.
3. Quand on est pressé, on _____.
4. Quand on est fatigué, on _____.
5. Quand on va au bord de la mer, on _____.
6. Chez le coiffeur, on _____.
7. Quand on veut obtenir une information, on _____.
8. Dans les restaurants qui offrent des buffets, on _____.

Objectif grammatical
Les verbes du 1er et
du 3e groupe au présent

Objectif de communication
Raconter une histoire.

Un problème de poids

A. Regardez la bande dessinée. Racontez ensuite l'histoire en décrivant ce qui se passe entre la dame et le médecin.

© Quino

B. Le médecin fait le constat de ce qui s'est passé. À l'aide des expressions de temps de l'encadré, rédigez son constat. Utilisez le présent de l'indicatif.

> tout d'abord – ensuite – puis – alors – c'est alors que – à ce moment-là – mais

Voici les faits :
Tout d'abord,

. Ensuite,

Puis,

. À ce moment-là,

mais

. C'est alors que

. Alors,

C. En équipes, lisez les affirmations suivantes, puis discutez-en.

1. L'obésité est un problème de santé physique.

2. L'obésité est un problème de santé psychologique.

3. L'obésité est un problème de société.

4. Les personnes minces sont en bonne santé.

5. Les personnes grosses sont toujours de bonne humeur.

6. Manger un hamburger par jour n'est pas mauvais pour la santé.

7. Pour résoudre un problème de poids, il faut changer les habitudes alimentaires.

8. La société valorise la maigreur.

9. Les personnes grosses souffrent de dépression.

10. Manger beaucoup de légumes facilite la perte de poids.

Objectif grammatical
Le présent de l'indicatif
aux formes affirmative et négative

Objectif de communication
Décrire des comportements humains.

Les filles et les garçons

A. Voici une chanson de Jean-Jacques Goldman interprétée par Garou. Lisez d'abord les paroles dans la colonne de gauche. Puis, dans la colonne de droite, décrivez les comportements des garçons. Si vous trouvez que le comportement des garçons est le même que celui des filles, gardez la même phrase, comme dans l'exemple ci-dessous.

Exemple   Les filles **parlent** des garçons.

Les garçons **parlent** des filles.
Les garçons **ne parlent pas** des filles.
Les garçons **parlent** de sport.

Les filles
Jean-Jacques Goldman

Les filles parlent des garçons   1. _____

Elles vont aux toilettes à deux   2. _____

Ça fera pas une chanson

Une chansonnette au mieux

Les filles mangent du chocolat   3. _____

Elles ont trop chaud ou trop froid   4. _____

Ont mal au ventre, à la tête,   5. _____

Au cœur, elles vont mal en fait   6. _____

Les filles travaillent à l'école   7. _____

Elles ont de belles écritures   8. _____

Elles gardent des mots, des bricoles   9. _____

Dans des vieilles boîtes à chaussures

Les filles ont des sacs à main   10. _____

Les filles marchent les bras croisés   11. _____

Elles traînent dans les salles de bains   12. _____

Elles aiment les fleurs, les bébés   13. _____

Faut pas généraliser

Y'a sûrement plein d'exceptions

Les étudier, les cerner

C'est mon credo ma mission

Les filles plient bien leurs affaires   14. _____

Elles jouent rarement du tambour   15. _____

Elles s'énervent avec leur mère   16. _____

Qu'elles rappellent chaque jour

Les filles nous font des reproches   17. _____

Trop lent, trop pressé, pas là

Ou trop loin ou bien trop proche

Ou pas assez, pas comme ça

Les filles font des confidences   18. _____

Elles ont une amie d'enfance   19. _____

Elles se chamaillent en équipe   20. _____

Se dispensent de gymnastique   21. _____

Les filles on voudrait leur plaire

Mais on sait pas trop y faire

C'est une longue étude, un art

Qu'on comprend quand c'est trop tard

Elles nous font pousser le cœur   22. _____

Les filles rendent les hommes meilleurs   23. _____

Et plus elles font d' la politique

Plus not' monde est pacifique

_____

Les filles, paroles et musique de Jean-Jacques Goldman, © 2003, Réserves I.R.G. Sarl (Groupe éditorial Musinfo Inc). Version originale interprétée par Garou, *Reviens* (2003), Columbia/Sony Musique.

Tableau 1

A. Complétez le tableau, comme dans l'exemple. Écrivez des phrases avec *Je, On* ou *Vous*.

Je	On	Vous
Exemple *Le 1ᵉʳ janvier, j'arrête de fumer !*	**On arrête** *de fumer.*	**Vous arrêtez** *de fumer ?*
1.	On quitte à 9 heures.	
2. Je regarde les nouvelles.		
3.		Vous travaillez au bureau ?
4. Je ferme la porte.		
5.	On achète cette maison.	
6. Je loue un bateau.		
7.		Vous parlez russe ?
8.	On termine dans cinq minutes.	

B. Complétez les phrases, comme dans l'exemple.

Exemple **On habite** *à Montréal.*	Et vous ?	**Nous habitons** *à Sherbrooke.*
1. On déménage cet été.	Et vous ?	
2.	Et vous ?	Nous commençons à 9 heures.
3. On travaille chez La Taie.	Et vous ?	
4. On regarde les nouvelles de 10 heures.	Et vous ?	
5.	Et vous ?	Nous entrons par le garage.
6. On préfère le ski de fond.	Et vous ?	
7. On arrive à 9 heures.	Et vous ?	
8.	Et vous ?	Nous marchons une heure par jour.

Tableau 2

A. Complétez les phrases. Trouvez pour chacune la réponse qui convient.

Exemple	*Tu **prends** de la tarte aux pommes?*	*Oui, merci, une petite part.*

1. Que _____ -vous le samedi soir ?

2. Où _____ -vous en fin de semaine ?

3. Vous _____ du thé ou du café ?

4. Tu _____ de l'alcool ?

5. On _____ de la maison ?

6. À quelle heure _____ l'avion ?

7. Est-ce que tu _____ du sport régulièrement ?

8. Tu _____ au téléphone ?

> **Il part à 6 heures.**
>
> **Oui, il fait chaud, sortons.**
>
> **Oui, je joue souvent au tennis.**
>
> **Rien de spécial. Et vous ?**
>
> **On va à la campagne.**
>
> **Du café, s'il vous plaît.**
>
> **Non, je bois de l'eau seulement.**
>
> **Oui, je réponds tout de suite.**

B. Complétez les phrases.

Exemple	*Où est-ce que **tu fais** du ski?*	***Je fais** du ski au mont Saint-Bruno.*
1. Qu'est-ce que vous _____ dans ce gâteau ?		Je mets de la farine et du sucre.
2. Où est-ce que vous _____ vos courses ?		Je fais mes courses au marché des Fleurs.
3. Quand est-ce que vous _____ vos courriers électroniques ?		Je les écris le matin.
4. Quand est-ce que tu _____ le journal ?		Je lis le journal pendant l'heure du dîner.
5. Quand est-ce que vous _____ la voiture ?		Je la prends en fin de semaine.
6. Qui _____ les enfants à l'école ?		C'est moi qui les conduis à l'école.
7. Est-ce que tu _____ seule ?		Oui, je vis seule.
8. Où est-ce que vous _____ votre cours d'allemand ?		Au Goethe Institut.

Le présent de l'indicatif **43**

Tableau 3

A. Les verbes du 1er groupe à la forme affirmative

Exemple *Alors, **vous travaillez** cette semaine ?*	*Oui, **je travaille** cette semaine.*
1. Alors, vous déménagez cet été ?	Oui, _____.
2. Alors, vous arrivez à 16 heures ?	J' _____ à 16 h 10 exactement.
3. Alors, vous _____ à Jean-Pierre ?	Oui, nous lui téléphonons.
4. Alors, vous arrivez ?	Oui, oui, on _____.
5. Alors, tu _____ du poisson ?	Oui, je mange du poisson, merci.
6. Alors, tu arrêtes de fumer ?	Oui, c'est ça, j' _____ cette semaine.
7. Alors, on apporte notre CV ?	Oui, c'est ça, vous _____ votre CV.
8. Alors, Michèle rentre avec toi ?	Oui, elle _____.

B. Les verbes du 3e groupe à la forme négative

Exemple ***On met** des bottes en caoutchouc.*	***On ne met pas** de bottes en caoutchouc.*
1. Vous descendez après le dîner.	
2. Tu lis le courrier.	
3. Vous vivez avec votre famille.	
4. Ils répondent au téléphone.	
5. Nous conduisons une petite voiture.	
6. On prend du thé après le souper.	
7. On sort à 16 heures.	
8. Vous recevez ce soir.	

Tableau 4

A. Oui ou non ?

Exemple **Vous avez** un téléphone cellulaire ?	Non, **je n'ai pas** de téléphone cellulaire.
1. Vous _____ célibataire ?	Non, je suis marié.
2. Tu _____ deux minutes pour aller prendre un café ?	Oui, certainement.
3. _____ -vous de la monnaie ?	Non, je suis désolé.
4. Madame et monsieur Lavigueur, est-ce qu'ils _____ des enfants ?	Je ne sais pas.
5. Nous _____ des diplômes en informatique, et vous ?	Non, en sciences humaines.

B. La forme négative

Exemple **Vous avez** des enfants ?	Non, **je n'ai pas** d'enfants.
1. Êtes-vous ingénieur ?	Non, _____. Je suis architecte.
2. Avez-vous de la famille aux États-Unis ?	Non, _____ en Amérique du Nord.
3. As-tu 10 $ à me prêter ?	Je suis désolée. Je _____ d'argent sur moi.
4. Tu viens en voiture ?	Non, _____.
5. Elle est de bonne humeur ?	
6. Es-tu libre plus tard, ce soir ?	
7. Vous êtes à Toronto ?	
8. Marina a peur de l'eau ?	
9. As-tu un vélo de montagne ?	
10. Tes amis ont une maison à la campagne ?	

Tableau 5

A. Oui ou non ?

Exemple *Où est-ce que **tu te renseignes** ?*	***Je me renseigne** au comptoir.*
1. Tu _____ avant ou après 7 heures ?	Je me lève toujours avant 7 heures.
2. Vous _____ tous les jours ?	Non, ma barbe ne pousse pas très vite.
3. Est-ce que vous _____ _____ le soir ?	Oui, avec mon chien, une heure tous les jours.
4. Tu _____ les cheveux tous les jours ?	Non, trois fois par semaine.
5. Est-ce que tu _____ la nuit ?	Non, jamais. Je dors très bien.
6. Vous _____ après ou avant le déjeuner ?	Toujours après. J'ai horreur des taches de café sur les vêtements.
7. Est-ce que vous _____ _____ ?	Non, je mets du rouge à lèvres seulement.
8. Est-ce que tu _____ ?	Oui, j'adore les parfums.
9. Est-ce que vous _____ après le travail ?	Oui, je me repose une heure ou deux.
10. Est-ce que vous _____ _____ tard ?	Non, pas très tard. Je me couche vers 22 heures.
11. Est-ce que tu _____ ce petit bijou ?	Oui, certainement. Je le mérite !
12. Est-ce que vous _____ le soir ?	Non, pas de douche le soir, toujours un bain, c'est très reposant.
13. Où est-ce que tu _____ les cheveux ?	Chez Jean-Pierre. Il coupe très bien les cheveux !
14. Est-ce que tu _____ pour le bal masqué ?	Non, je n'ai pas de costume original.
15. Vous _____ , s'il vous plaît ! On n'a pas beaucoup de temps.	Bon, bon, on arrive.

Tableau 5 (*suite*)

B. La forme négative

Exemple *Je me repose.*	*Je ne me repose pas.*
1. Nous nous promenons.	
2. Vous vous renseignez.	
3. Je ne me fâche pas.	
4. Vous ne vous couchez pas.	
5. Je m'essuie.	
6. Ils se saluent.	
7. Elle se lave.	
8. Vous vous reposez.	
9. Tu te parfumes.	
10. Il ne se chausse pas.	
11. Nous nous déguisons.	
12. Pierre se brosse les ongles.	
13. Je ne me peigne pas.	
14. Je me dirige vers le téléphone.	
15. Nous nous assoyons.	
16. Tu ne t'inquiètes pas.	
17. On se promène.	
18. Nous ne nous habillons pas.	
19. Je ne me réveille pas.	
20. On s'endort.	

2 Le groupe du nom

Sommaire

Page	Activités	Objectifs grammaticaux	Objectifs de communication
54	1. Vous connaissez ?	Les déterminants indéfinis : *c'est un…, c'est une…, ce sont des… + nom ; il/elle est + adjectif*	Présenter une personne.
56	2. Identification	Les déterminants possessifs *mon, ma, mes, son, sa, ses*	Se présenter.
58	3. Sondage	Les déterminants possessifs *ton, ta, tes, votre, vos*	Parler des goûts et des préférences d'une personne.
60	4. À l'épicerie	Les quantifiants, les expressions de quantité, les déterminants partitifs et les déterminants indéfinis	Rédiger une liste d'épicerie.
65	5. À bord de l'avion	Les déterminants partitifs et indéfinis Le pronom *en*	Offrir ou demander un objet. Accepter ou refuser.
69	6. Zut alors !	Les déterminants démonstratifs	Signaler un problème.
71	7. Au magasin	Les déterminants démonstratifs, les pronoms démonstratifs, les pronoms interrogatifs	Poser des questions et indiquer des préférences au magasin.
73	8. Mon pays	Les présentatifs et les déterminants possessifs Les adjectifs	Décrire un lieu, une saison, une situation.

Tableau grammatical

A. Les déterminants

1. Les déterminants indéfinis

	Masculin	Féminin	Exemples
Singulier	un	une	**un** bateau **une** planche à voile
Pluriel	des		**des** fleurs **des** livres

2. Les déterminants définis

	Masculin	Féminin	Exemples
Singulier	le l'	la l'	J'aime **le** tennis. J'adore **la** natation. J'aime **l'**école.
Pluriel	les		J'adore **les** bandes dessinées.

3. Les déterminants partitifs

	Masculin	Féminin	Exemples
Singulier	du de l'	de la de l'	Je bois **du** vin. Tu mets **de l'**ail ! Tu veux **de la** confiture ? Il veut **de l'**eau ?
Pluriel	des		Il mange **des** épinards.

4. Les déterminants contractés

	Masculin	Féminin	Exemples
Singulier	du (de + le) au (à + le)	de la à la	J'arrive **de la** pharmacie. Je vais **à la** banque.
Pluriel	des (de + les) aux (à + les)		Le prix **des** tomates. J'assiste **aux** cours.

5. Les déterminants possessifs

Possesseur	Singulier		Pluriel
	Masculin	Féminin	
je	**mon**	**ma**	**mes**
tu	**ton**	**ta**	**tes**
il, elle, on	**son**	**sa**	**ses**
nous	**notre**	**notre**	**nos**
vous	**votre**	**votre**	**vos**
ils, elles	**leur**	**leur**	**leurs**

Exemples

C'est **ton** ami roumain ?
Oui, c'est **mon** ami Andrej.

Ce sont **vos** papiers, madame ?
Oui, ce sont **mes** papiers.

6. Les déterminants démonstratifs

	Masculin	Féminin
Singulier	**ce**	**cette**
	cet + voyelle, *h* muet	
Pluriel	**ces**	**ces**

Exemples

ce manteau, **cette** chemise, **cet** imperméable
cet homme, **ces** gants

7. Les déterminants interrogatifs

	Masculin	Féminin
Singulier	**Quel**	**Quelle**
Pluriel	**Quels**	**Quelles**

Exemples

Quel est ton nom ?
Quelles sont tes couleurs préférées ?

8. Les déterminants numéraux

Un, **deux**, **trois**, **quatre**, etc.

9. Les quantifiants et les expressions de quantité

Expressions

Quantité + de

beaucoup de	**une tranche de**	**un litre de**
	une bouteille de	**un verre de**
un peu de	**un paquet de**	**une tasse de**
	un kilo de	**un sachet de**

Exemples   Elle a **beaucoup de** travail.
Donnez-moi **un kilo de** pommes de terre.

Pas + de

Exemples   Je ne prends **pas de** vitamines.
Pas de problème!

Quelques   **quelques** erreurs
quelques amis

Exemple   Elle aime **quelques** auteurs japonais.

Plusieurs   **plusieurs** amis
plusieurs erreurs

Exemple   A-t-elle **plusieurs** amis?

B. Les pronoms

1. Les pronoms démonstratifs

	Masculin	**Féminin**
Singulier	**celui-ci, celui-là**	**celle-ci, celle-là**
Pluriel	**ceux-ci, ceux-là**	**celles-ci, celles-là**

Exemples   Quelle cravate prenez-vous?   **Celle-ci.**
Tu vas mettre quels souliers?   **Ceux-là.**

2. Les pronoms interrogatifs *lequel, laquelle...*

	Masculin	Féminin
Singulier	**Lequel** ?	**Laquelle** ?
Pluriel	**Lesquels** ?	**Lesquelles** ?

Exemple
– Prends-tu ton manteau ?
– Oui.
– **Lequel** ? Le blanc ou le noir ?

3. Les pronoms compléments

A. *le, la, les (l')*

Exemples
Le client achète la cravate.   Il **l'**achète. Il ne **l'**achète pas.
Les enfants font ces exercices. Ils **les** font. Ils ne **les** font pas.

B. *en*

Exemples
Tu prends du café ?   Oui, j'**en** prends.
Non, je n'**en** prends pas.

C. Accord de l'adjectif qualificatif

Terminaisons du masculin	Terminaisons du féminin	Terminaisons du pluriel
–ain (améric**ain**)	**–aine** (améric**aine**)	**–s** (améric**ains**, améric**aines**)
–if (sport**if**)	**–ive** (sport**ive**)	**–s** (sport**ifs**, sport**ives**)
–eux (danger**eux**)	**–euse** (danger**euse**)	**–x** (danger**eux**) **–s** (danger**euses**)
–ier (prem**ier**)	**–ière** (prem**ière**)	**–s** (prem**iers**, prem**ières**)
–ien (anc**ien**)	**–ienne** (anc**ienne**)	**–s** (anc**iens**, anc**iennes**)
–in (f**in**)	**–ine** (f**ine**)	**–s** (f**ins**, f**ines**)
–t, –d, –s, –r (gran**d**)	**–te, –de, –se, –re** (gran**de**)	**–s** (gran**ds**, gran**des**)
–i, –é, –u (jol**i**)	**–ie, –ée, –ue** (jol**ie**)	**–s** (jol**is**, jol**ies**)
beau	**belle**	**beaux, belles**
bon	**bonne**	**bons, bonnes**
gros	**grosse**	**gros, grosses**
mou	**molle**	**mous, molles**
nouveau	**nouvelle**	**nouveaux, nouvelles**
vieux	**vieille**	**vieux, vieilles**

1

Objectif grammatical
Les déterminants indéfinis :
c'est un..., ***c'est une...***, ***ce sont des*** + nom ;
il/elle est + adjectif

Objectif de communication
Présenter une personne.

Vous connaissez ?

A. Décrivez chaque personne : son nom, son métier, sa nationalité.

> Exemple   Julia Roberts, c'est une comédienne américaine.

> Dora Gonzaga
> Journaliste
> Lieu de naissance :
> Portugal

> Yvan Robitaille
> Compositeur
> Lieu de naissance :
> Canada

> Peter Openkov
> Joueur de hockey
> Lieu de naissance :
> Russie

> Stéphane Krimsch
> Pilote de F1
> Lieu de naissance :
> Allemagne

> Léon Bienvenue
> Chercheur
> Lieu de naissance :
> Québec

B. Connaissez-vous ces personnalités ? Trouvez le métier ainsi que la nationalité de chacune d'entre elles. Discutez-en en équipes.

Jacques Villeneuve	chercheur	canadien, canadienne
Frédéric Back	poète	québécois, québécoise
Hubert Reeves	écrivaine	manitobain, manitobaine
Daniel Lavoie	chanteur-compositeur	mexicain, mexicaine
Wayne Gretzky	pilote de F1	canadien, canadienne
Anne Hébert	peintre	belge
Gaston Miron	cinéaste	
Diego Rivera	joueur de hockey	

C. Des plats délicieux

C'est un plat, une spécialité, un mets… En équipes, dites à quelle région ou à quel pays on peut associer chaque plat. Écrivez vos réponses.

Exemple   La fondue, c'est une spécialité suisse.

1. Les fajitas
2. Le sirop d'érable
3. La poutine
4. La tourtière
5. Le *smoked meat**
6. La soupe wonton
7. Le canard aux herbes de Provence
8. Le taboulé
9. Le caviar
10. La paella
11. La soupe aux palourdes
12. La fondue

- libanais, libanaise
- montréalais, montréalaise
- chinois, chinoise
- français, française
- québécois, québécoise
- russe
- américain, américaine
- suisse
- mexicain, mexicaine
- espagnol, espagnole

1. _____ .
2. _____ .
3. _____ .
4. _____ .
5. _____ .
6. _____ .
7. _____ .
8. _____ .
9. _____ .
10. _____ .
11. _____ .
12. _____ .

* Viande fumée à la montréalaise, de tradition juive.

2

Objectif grammatical
Les déterminants possessifs
mon, *ma*, *mes*, *son*, *sa*, *ses*

Objectif de communication
Se présenter.

Identification

A. Lisez les fiches descriptives de Raúl et d'Évelyne. En équipes, décrivez ces personnes. Ensuite, complétez les énoncés à l'aide d'un déterminant possessif.

RAÚL

Nom : <u>Raúl Torres</u>

Nationalité : <u>colombienne (né à Bogota)</u>

Profession : <u>médecin</u>

Adresse : <u>4567, chemin du Lac, Pointe-Claire (Québec)</u>

Numéro de téléphone : <u>(514) 632-8759</u>

Passe-temps : <u>la lecture, les sorties au restaurant</u>

Date de naissance : <u>le 4 septembre 1966</u>

Enfants : <u>Erika et Manuel</u>

Je me présente...

Exemple   *Mon nom est Raúl Torres.*

1. _____ profession est la médecine.

2. _____ adresse est le 4567, chemin du Lac, Pointe-Claire, Québec.

3. _____ maison se trouve en banlieue.

4. _____ passe-temps sont la lecture et les sorties au restaurant.

5. _____ numéro de téléphone est le (514) 632-8759.

6. _____ enfants s'appellent Erika et Manuel.

7. _____ pays d'origine est la Colombie.

8. _____ date de naissance est le 4 septembre 1966.

9. _____ âge ? J'ai 40 ans.

Nom : **Évelyne Deschamps**

Nationalité : **canadienne (née à Vancouver)**

Profession : **graphiste**

Adresse : **234, rue des Érables, Sherbrooke (Québec)**

Numéro de téléphone : **(819) 720-3456**

Passe-temps : **cinéma, spectacles de musique rock**

Date de naissance : **le 23 avril 1970**

Enfants : **Samuel**

ÉVELYNE

B. Présentez Évelyne. Décrivez-la. Utilisez les déterminants possessifs *son, sa, ses*.

Exemple   *Son* nom est Deschamps.

_____ prénom est Évelyne. Elle s'appelle Évelyne Deschamps. _____ profession ?
Elle est graphiste. _____ adresse est le 234, rue des Érables, Sherbrooke, Québec.
_____ appartement se trouve en banlieue. _____ passe-temps préférés sont
le cinéma et les spectacles de musique rock.

_____ numéro de téléphone est le (819) 720-3456. _____ fils s'appelle Samuel.
_____ province d'origine est la Colombie-Britannique. _____ date de naissance
est le 23 avril 1970.

C. Et vous ?
Présentez-vous en utilisant les bons déterminants possessifs.

1. _____ .

2. _____ .

3. _____ .

4. _____ .

5. _____ .

6. _____ .

7. _____ .

8. _____ .

9. _____ .

10. _____ .

Objectif grammatical	Objectif de communication
Les déterminants possessifs **ton**, **ta**, **tes**, **votre**, **vos**	Parler des goûts et des préférences d'une personne.

Sondage

A. Vous êtes journaliste. Vous avez un projet de sondage auprès des enfants de 9 à 12 ans. En vous servant des éléments ci-dessous, préparez les questions du sondage. Écrivez vos questions dans les espaces prévus à cette fin.

Exemples   Quelle est **ta** musique préfér**ée**?
Quelles sont **tes** céréales préfér**ées**?

Les 9-12 ans au micro!

1. Animal domestique préfér**é**: _____
2. Émission de télévision préfér**ée**: _____
3. Sport préfér**é**: _____
4. Activité préfér**ée**:
    – à l'école: _____
    – à la maison: _____
    – la fin de semaine: _____
    – à l'extérieur de la maison: _____
5. Céréales préfér**ées**: _____
6. Mets préfér**é**: _____
7. Boisson préfér**ée**: _____
8. Couleur préfér**ée**: _____
9. Musique préfér**ée**: _____
10. Saison de l'année préfér**ée**: _____
11. Matière préfér**ée**: _____
12. Jeu préfér**é**: _____
13. Instrument de musique préfér**é**: _____
14. Moment de la journée préfér**é**: _____
15. Signe astrologique: _____

B. Adaptez le sondage aux centres d'intérêt de jeunes adultes de 20 à 30 ans.
Préparez des questions à leur intention.

AU TOUR DES 20-30 ANS!

_____

_____

_____

_____

_____

_____

_____

_____

_____

_____

_____

_____

_____

_____

_____

_____

_____

_____

_____

_____

_____

4

Objectif grammatical
Les quantifiants, les expressions de quantité,
les déterminants partitifs
et les déterminants indéfinis

Objectif de communication
Rédiger une liste d'épicerie.

À l'épicerie

A. À partir des éléments ci-dessous, faites votre liste d'épicerie.

Les quantifiants

300 grammes **de, d'**
beaucoup **de, d'**
une boîte **de, d'**
une bouteille **de, d'**
une caisse **de, d'**
une cannette **de, d'**
un carton **de, d'**
un contenant **de, d'**
une douzaine **de, d'**
un kilo **de, d'**
un litre **de, d'**   + NOM
une livre **de, d'**
un morceau **de, d'**
un panier **de, d'**
un paquet **de, d'**
un sac **de, d'**
une tablette **de, d'**
une tasse **de, d'**
une tranche **de, d'**

Les déterminants partitifs

de l'
de la
du   + NOM
des

Les déterminants indéfinis

un
une   + NOM
des

Les déterminants quantitatifs

quelques
plusieurs   + NOM

Les déterminants numéraux

un
deux   + NOM
trois

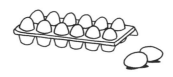

Produits

- sardines
- chocolat
- marmelade
- fraises
- sucre
- farine
- citron
- œufs
- eau minérale
- framboises
- lait
- pêches
- oignons
- beurre
- patates
- yogourt
- céleri
- confiture d'abricots
- laitue
- fromage feta
- jus de pomme
- pamplemousses
- biscuits
- tomates

Liste d'épicerie

B. Regardez d'abord les deux listes d'épicerie. Dans les espaces prévus à cette fin, écrivez ensuite les produits et les quantités que Marie-Christine et Jean-Luc veulent acheter.

Liste d'épicerie de Marie-Christine

biscuits (un paquet)

sucre (un sac)

chocolat (deux tablettes)

céréales (une boîte)

carottes

sirop d'érable

eau minérale (trois bouteilles)

crème à fouetter

lait (un contenant)

pommes de terre (2 kilos)

Liste d'épicerie de Jean-Luc

oranges (3 ou 4)

boissons gazeuses (2 bouteilles)

café

tomates (une boîte)

riz (un sac de 1 kilo)

bière (6 cannettes)

beurre (une livre, ou 454 g)

fromage râpé (200 g)

viande

poivre

Marie-Christine achète...	Jean-Luc achète...
• _____	• _____
• _____	• _____
• _____	• _____
• _____	• _____
• _____	• _____
• _____	• _____
• _____	• _____
• _____	• _____
• _____	• _____
• _____	• _____

C. Alimentation naturelle

Complétez le dialogue ci-dessous entre Marie-Claire et Christine. Jouez-le ensuite avec un ou une partenaire.

Marie-Claire : – *Ma vie a complètement changé depuis que je suis végétarienne !*

Christine : – *Végétarienne ? Quoi, tu ne manges pas _____ ?*

Marie-Claire : – *Non, c'est fini.*

Pas _____ viande, pas _____ saucisses,

pas _____.

Christine : – *Tu manges beaucoup _____, c'est ça ?*

Marie-Claire : – *Oui, et je prends aussi _____ tofu.*

Christine : – *C'est bon ?*

Marie-Claire : – *Ça dépend. Il y a plusieurs façons de le préparer.*

Christine : – *Le matin, tu prends toujours _____ café ?*

Marie-Claire : – *Non, je prends _____ décaféiné.*

Christine : – *Pouah, ça, ce n'est pas du café ! C'est de l'eau.*

Marie-Claire : – *Mais non, tu exagères !*

Christine : – *Et _____ lait ?*

Marie-Claire : – *Plus jamais, c'est très mauvais pour la digestion.*

Je prends _____ comprimés de calcium tous les matins.
Ça remplace le lait.

Christine : – *Alors, tu ne manges pas _____ fromage non plus, n'est-ce pas ?*

Marie-Claire : – *Très rarement. Mais je bois _____ lait de soya*

et je mange _____ fromage écrémé.

Christine : – *Ça ne vaut pas un bon gruyère,*

mais c'est bon pour la santé !

D. Recette : Pommes croustillantes

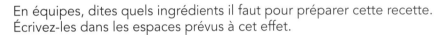

Fiche de cuisine
DESSERTS

Pommes croustillantes

3 ou 4 pommes pelées et tranchées

3/4 de tasse de cassonade

1 c. à thé de cannelle

3/4 de tasse de gruau

1/2 tasse de farine

1/2 tasse de beurre

Mettre les pommes dans un plat de 20 cm allant au four.

Mélanger ensemble les autres ingrédients et verser sur les pommes.

Cuire à 325 °F (160 °C) de 40 à 50 minutes au moins.

Servir chaud ou froid avec de la crème.

En équipes, dites quels ingrédients il faut pour préparer cette recette.
Écrivez-les dans les espaces prévus à cet effet.

Il faut _____

Il faut _____

Ça prend _____

Il faut _____

Ça prend _____

Il faut _____

Appelez votre meilleur ami ou votre meilleure amie pour lui donner la recette. Jouez votre dialogue.

5

Objectifs grammaticaux
Les déterminants partitifs et indéfinis
Le pronom *en*

Objectifs de communication
Offrir ou demander un objet.
Accepter ou refuser.

À bord de l'avion

A. «Que désirez-vous?»

L'agente de bord offre différents produits aux passagers. Ils acceptent ou refusent. Composez les dialogues à l'oral, puis à l'écrit, en précisant la quantité. Inspirez-vous des formules de politesse de l'encadré.

Aimeriez-vous…
Voudriez-vous…
Prendriez-vous…
Voulez-vous…

de l'eau	du vin	des bonbons
des journaux	du poulet	de la viande
du thé	du gâteau	du café
du cognac	du pain	des écouteurs
du sucre	du lait	du sel
du poivre	une serviette humide	une brosse à dents

Exemple A : – Vous aimeriez un verre de lait, madame ?
B : – Oui, merci, **un peu de** lait.

1. A : _____ ?
B : _____ .

2. A : _____ ?
B : _____ .

3. A: _____ ?

   B: _____ .

4. A: _____ ?

   B: _____ .

5. A: _____ ?

   B: _____ .

6. A: _____ ?

   B: _____ .

7. A: _____ ?

   B: _____ .

8. A: _____ ?

   B: _____ .

9. A: _____ ?

   B: _____ .

10. A: _____ ?

   B: _____ .

B. Acceptez ou refusez l'offre de l'agent de bord en remplaçant la partie soulignée par le pronom *en*. Inspirez-vous de l'exemple ci-dessous.

| Exemple | Vous prenez encore <u>du jus</u> ? | Oui, j'**en** prends encore un peu, merci.
Non merci, je n'**en** veux pas. |

1. Tu prends <u>des bonbons</u> ?   *J'en prends*

2. <u>Des écouteurs</u> ?   _____

3. Veux-tu <u>des crayons de couleur</u> ?   _____

4. <u>Une boisson gazeuse</u> ?   *Je n'en prends pas*

5. Je peux vous servir <u>du vin</u> ?   _____

6. Vous aimeriez reprendre <u>un peu d'eau</u> ?   _____

7. Encore un peu <u>de café</u> ?   _____

8. Est-ce que vous désirez <u>un magazine</u> ?   _____

9. Tu veux <u>une limonade</u> ?   _____

10. Je vous sers encore <u>du thé</u> ?   _____

C. Dans la colonne de gauche, voici quelques commentaires de passagers ayant pris différents vols. Les textes sont écrits dans un style qui correspond à celui des pages Internet. Dans la colonne de droite, réécrivez ces plaintes ou ces commentaires dans une lettre adressée à la compagnie aérienne. Inspirez-vous de l'exemple ci-dessous.

| Exemple | Commentaire sur la page Internet | Lettre formelle |

Europair

> Vol Paris-Tokyo via Francfort.
> Agents de bord franchement désagréables. Aucun sourire.
> Manières : zéro !
> Bouffe et accueil à bord : catastrophiques !

Les agents de bord du vol Paris-Tokyo sont désagréables. Ils ne sourient pas. Ils n'ont pas de manières. La nourriture et l'accueil ne sont pas bons.

1. Ailes Canadiennes

> Vol Vancouver-Singapour.
> Petite trousse de toilette fournie, bons repas. Tous types de boissons.
> Grand choix de films.
> Couvertures fournies. Un charme !

_____
_____
_____
_____
_____
_____

2. Europe Rapidair

> Vol Madrid-Paris.
> Surréaliste.
> Aucun repas servi.
> Les passagers meurent de faim.
> Prévoyez sandwichs et boissons.

_____
_____
_____
_____
_____
_____

3. Jamaicair

Vol Montego Bay-Toronto.

Nourriture excellente.

Agentes de bord charmantes.

Champagne à volonté.

Un pur délice!!!

_____
_____
_____
_____
_____

4. Québécair

Vol Montréal-Winnipeg.

Très bon repas. Apéritif, digestif.

Mais surprise: toilettes

sans papier hygiénique.

Dommage...

_____
_____
_____
_____
_____

5. Air Atlantique

Vol Halifax-Londres.

Service sympa mais sans plus.

Repas nuls.

Boissons... Quelles boissons?

Eau et jus d'orange, c'est tout.

Déplorable!

_____
_____
_____
_____
_____
_____

D. Transport aérien

Lisez le texte, puis discutez-en en équipes.

Que recherchent les gens d'affaires quand ils voyagent en avion?

Une étude de l'agence Intramar a défini quelques critères pour évaluer la satisfaction des passagers aériens. Voici les résultats de l'enquête menée par Intramar au mois de décembre dernier.

- Ponctualité: 76 %
- Efficacité du service de réservation: 44 %
- Service à bord: 59 %
- Offres économiques: 43 %
- Modernité des avions: 52 %
- Propreté des cabines: 38 %
- Confort des sièges: 48 %
- Qualité des repas et des boissons: 36 %

Zut alors !

A. À l'hôtel ou au restaurant, vous éprouvez plusieurs problèmes. Indiquez-les à l'aide de déterminants démonstratifs.

> Exemple   Ah non ! **Ce** poisson est trop cuit !

À l'hôtel

> Problèmes

- le couvre-lit
- le téléviseur
- la fenêtre
- le bruit
- le lit

_____

_____

_____

_____

Au restaurant

> Problèmes

- les fleurs
- la viande
- les verres
- les chaises
- l'eau

_____

_____

_____

_____

Le groupe du nom **69**

À l'aéroport

Problèmes

- l'avion
- la compagnie
- la valise
- le service

_____
_____
_____
_____
_____

B. Composez trois dialogues, en vous inspirant des situations illustrées ci-dessous. Jouez-les avec un ou une partenaire, puis devant la classe.

Exemple
– Est-ce qu'on peut vous aider, monsieur ?
– Oui, j'ai un problème.
– Monsieur ?
– Ce verre est sale.
– Je vois, monsieur.

1. Le verre

2. La jupe

3. Les manches

4. La voiture

5. Le livre

6. Le diamant

7

Objectif grammatical
Les déterminants démonstratifs,
les pronoms démonstratifs,
les pronoms interrogatifs

Objectif de communication
Poser des questions et indiquer
des préférences au magasin.

Au magasin

A. À partir des éléments proposés dans le tableau ci-dessous, construisez quatre dialogues. En vous inspirant de l'exemple, combinez, dans l'ordre, une réplique de la colonne de gauche avec une réplique de la colonne du centre et une autre de la colonne de droite.

Exemple

A : – Bonjour, je voudrais connaître le prix de ce pantalon.
B : – Lequel ? Le noir ou le brun rayé ?
A : – Le brun rayé, s'il vous plaît.

Bonjour, je voudrais connaître le prix de ce pantalon.

Combien coûtent ces gants ?

Ces souliers, ils sont italiens ?

Je voudrais voir ces chemises. Elles coûtent combien ?

Pouvez-vous me dire le prix de cette cravate ?

Non, ceux-ci sont faits au Canada. Ceux-là sont tous faits en Italie.

Lequel ? Le noir ou le brun rayé ?

Ils coûtent 50 $.

Laquelle ? Celle-ci, qui est en soie ?

Elles sont toutes en solde à 45,99 $.

Très bien, j'aimerais les essayer.

Je voudrais essayer ceux-là.

Elles sont belles. Puis-je essayer celle-ci ?

Le brun rayé, s'il vous plaît.

Oui, celle-là. Merci.

---

1. A : – _____

   B : – _____

   A : – _____

2. A : – _____

   B : – _____

   A : – _____

3. A : – _____

   B : – _____

   A : – _____

4. A : – _____

   B : – _____

   A : – _____

B. À la pharmacie

Complétez les dialogues suivants. Puis, avec un ou une partenaire, jouez-les.

---

1. Crème hydratante

– Bonjour, je cherche une bonne crème hydratante.

– _____ est excellente.

– Et _____ ?

– Laquelle, Hydravita ?

– Oui, _____.

– Ah, _____ est très bonne aussi.

Mais moi, je préfère Peausaine. C'est _____.

– Est-ce que je peux l'essayer ?

– Certainement, _____.

---

2. Parfum

– Je cherche un bon parfum. C'est pour offrir un cadeau à la fille d'une amie.

– Voulez-vous essayer _____ ? C'est l'eau de Cologne de Séverine.

– Pas mal. Et _____ ? Le petit flacon rouge ?

– _____ n'est pas mal, mais il est un peu fort.

C'est pour une jeune fille ?

– Oui, c'est une ado. Elle va avoir 16 ans.

– Alors, je vous suggère _____.

Il est très frais et à la mode : Cristal.

– Très bien. Je prends _____

pour la fille de mon amie, mais je prends

aussi _____ pour moi.

Objectifs grammaticaux
Les présentatifs et les déterminants possessifs
Les adjectifs

Objectif de communication
Décrire un lieu, une saison, une situation.

Mon pays

A. Lisez ces vers extraits du poème « Mon pays » de Gilles Vigneault.

Mon pays

Mon pays ce n'est pas un pays, c'est l'hiver
Mon jardin ce n'est pas un jardin,
c'est la plaine
Mon chemin ce n'est pas un chemin,
c'est la neige
Mon pays ce n'est pas un pays c'est l'hiver

[...]

Mon pays ce n'est pas un pays, c'est l'hiver
Mon refrain ce n'est pas un refrain,
c'est rafale
Ma maison ce n'est pas ma maison,
c'est froidure

Mon pays ce n'est pas un pays, c'est l'hiver
Mon pays ce n'est pas un pays, c'est l'hiver
Mon jardin ce n'est pas un jardin,
c'est la plaine
Mon chemin ce n'est pas un chemin,
c'est la neige
Mon pays ce n'est pas un pays, c'est l'hiver
Mon pays ce n'est pas un pays, c'est l'envers
D'un pays qui n'était ni pays ni patrie
Ma chanson ce n'est pas ma chanson,
c'est ma vie
C'est pour toi que je veux posséder
mes hivers…

VIGNEAULT, Gilles, « Mon pays » (01964), dans *Tenir paroles. Chansons*, vol. I, Montréal, Nouvelles éditions de l'Arc, 1983, p. 179. © Gilles Vigneault, éditions Vent qui vire / SODRAC.

B. En vous inspirant du poème de Vigneault, complétez les phrases suivantes.

Le Québec, c'est _____.

Le Mexique, c'est _____.

L'Ouest canadien, c'est _____.

Le Canada, c'est _____.

L'été au Québec, c'est _____.

Le printemps au Québec, c'est _____.

L'automne au Québec, c'est _____.

L'hiver au Québec, c'est _____.

Ma maison, c'est _____.

Ma rue, c'est _____.

Mon quartier, c'est _____.

Ma province, c'est _____.

Mon pays, c'est _____.

C. En équipes, dites comment vous trouvez les situations décrites. Employez les adjectifs de la colonne de droite.

Exemple   Une soirée devant la télé, c'est ennuyant.

Un exercice sur les verbes français	beau
Une voiture de luxe	intéressant
Un bébé qui pleure sans arrêt	fou
Un séjour au bord de la mer	incroyable
Un film de Hitchcock	insupportable
Six heures à l'école	facile
Un gratte-ciel	difficile
Une soirée à la Salsathèque	bon marché
La soirée des Oscars	cher
Le centre Bell	délicieux
Un gâteau au chocolat fondant	le *fun**
Un concert de musique classique	doux
Passer trois heures dans un embouteillage	stressant
Faire du ski	superbe
Un ours devant soi	comique
Arriver en retard à une entrevue d'emploi	reposant
Oublier ses clés dans un taxi	magnifique
Faire de l'exercice à 6 heures du matin	plaisant
Regarder un coucher de soleil au bord de la mer	laid
	grand
	gros
	long
	haut

* Registre du français oral familier pour *c'est amusant* (de l'anglais « fun »).

Écrivez vos réponses.

1. _____

2. _____

3. _____

4. _____

5. _____

6. _____

7. _____

8. _____

9. _____

10. _____

11. _____

12. _____

13. _____

14. _____

15. _____

9

Objectif grammatical
Les déterminants définis *le*, *la*, *les*, *l'*
et les déterminants possessifs *son*, *sa*, *ses*

Objectif de communication
Choisir des cadeaux en fonction
d'un ou d'une destinataire.

Cadeaux de Noël

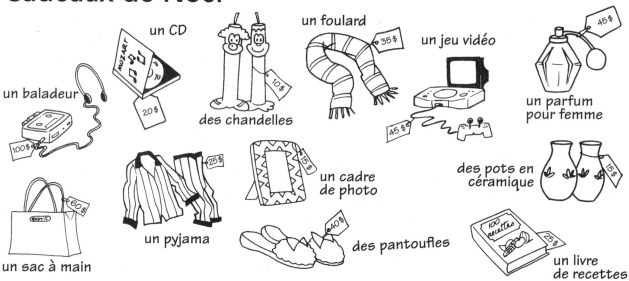

A. Anne-Sophie vient d'acheter ses cadeaux de Noël. Elle doit maintenant mettre une étiquette
au nom de chaque personne à qui ils sont destinés. Voici la liste des personnes à qui
Anne-Sophie a acheté un des cadeaux de la liste :

> grand-père – grand-mère – mère – belle-mère – fille – amie Lucie – amie Chantal –
> belle-sœur – copain – frère – copine du frère – voisine

Écrivez les choix d'Anne-Sophie.

Exemple   **Le** foulard, c'est pour **son** grand-père.

Les   pantoufles, sont pour son amie Chantal.

Le   cadre de photo, c'est pour son papa.

Les   chandelles, ce sont pour son grand-père.

Le   parfum pour femme, c'est pour sa voisine.

Le   jeu vidéo, c'est pour sa grand-mère.

Le   CD, c'est pour son copain.

_____   sac à main, _____.

_____   pyjama, _____.

_____   pots en céramique, _____.

_____   baladeur, _____.

_____   livre de recettes, _____.

10

Objectifs grammaticaux
L'accord de l'adjectif
Le déterminant démonstratif,
les pronoms personnels **le**, **la**, **les**
Les adverbes

Objectif de communication
Donner son opinion.

Un peu, beaucoup, pas assez, pas du tout !

A. Complétez le tableau ci-dessous. Pour chaque adjectif au masculin singulier, mettez-le au féminin singulier, au masculin pluriel et au féminin pluriel. Inspirez-vous de l'exemple.

Adjectifs

Masculin singulier	Féminin singulier	Masculin pluriel	Féminin pluriel
Exemple *droit*	*droite*	*droits*	*droites*
1. sympathique			
2. beau			
3. ennuyant			
4. exigeant			
5. gentil			
6. bon			
7. intéressant			
8. facile			
9. tranquille			
10. bruyant			
11. mauvais			
12. performant			
13. chouette			
14. laid			
15. froid			
16. fort			
17. désagréable			
18. moche			
19. mignon			
20. intelligent			

B. Complétez le tableau suivant à l'aide d'un déterminant démonstratif.

Exemple   **ces** devoirs

_____ dessert		_____ fleurs	
_____ cours		_____ travail	
_____ ordinateur		_____ professeur	
_____ voiture		_____ robe	
_____ souliers		_____ gens	
_____ compagnie		_____ hôtel	
_____ exercice		_____ CD	
_____ pièce		_____ parfum	
_____ quartier		_____ café	
_____ enfants		_____ chiens	

C. Chantal répond aux questions de Nikolaï. À l'aide des éléments étudiés dans les activités A et B, faites oralement des dialogues, en respectant le canevas suggéré dans l'exemple suivant.

Nikolaï :   Comment tu **le**, **la**, **les** trouves, **ce**, **cet**, **cette**, **ces** + *objet singulier ou pluriel*?

Chantal :   Je **le**, **la**, **les** trouve + **adverbe** + *adjectif qualificatif*.

Exemple   Nikolaï : Comment tu **les** trouves, **ces** comédiens?
Chantal : Je **les** trouve **très** bons.

Voici une liste d'adverbes qui peuvent vous être utiles pour composer vos dialogues.

à peine – trop – un peu – extrêmement – plutôt – absolument – assez –
pas assez – bien – pas du tout – très – pas très – pas mal – pas trop

11

Objectifs grammaticaux
L'accord de l'adjectif qualificatif
Les noms féminins et masculins

Objectif de communication
Décrire des emplois, des métiers,
des professions.

Emplois, métiers, professions

A. Dans l'encadré figure une série d'adjectifs qui décrivent les différents métiers.
Trouvez trois adjectifs par métier, en vous inspirant de l'exemple ci-dessous.

> fatigant – stressant – intéressant – dangereux – difficile – ennuyant – exigeant – créatif –
> relaxant – facile – passionnant – amusant – déprimant – valorisant

| Exemple | plongeur | C'est un peu dangereux. |

1. psychologue _____.

2. juge _____.

3. réceptionniste _____.

4. serveur _____.

5. policier _____.

6. agent de bord _____.

7. mannequin _____.

8. photographe _____.

9. écrivain _____.

10. moniteur de ski _____.

11. chanteur _____.

B. Trouvez le féminin des métiers ci-dessous.

LUI	**ELLE**
1. psychologue	_____
2. agent de bord	_____
3. mannequin	_____
4. serveur	_____
5. policier	_____
6. professeur	_____
7. écrivain	_____
8. mécanicien	_____
9. décorateur	_____
10. juge	_____

C. Classez les métiers suivants dans la colonne du féminin ou du masculin, selon le cas. Faites attention à la terminaison.

	Féminin	**Masculin**
1. avocate	*avocate*	
2. dentiste		
3. plombier		
4. électricienne		
5. ingénieur		
6. producteur de cinéma		
7. actrice		

D. Devinettes

De quel métier s'agit-il ? Discutez-en en équipes, puis vérifiez vos réponses avec celles du corrigé en bas de la page.

Qui suis-je ?
Je coupe des fleurs et je fais des bouquets.
Je travaille dans un magasin.

Réponse : _____

Qui suis-je ?
Je voyage, je visite des sites historiques millénaires et je fais des recherches.

Réponse : _____

Qui suis-je ?
Je travaille dans un cirque. Je suis toujours maquillé et déguisé. Je fais rire les gens.

Réponse : _____

Qui suis-je ?
Je travaille dehors. Je marche beaucoup.
Je transporte un sac, plein au début de la journée et vide à la fin.

Réponse : _____

Qui suis-je ?
Je classe les papillons et j'observe les insectes. Je travaille dans un musée ou dans la forêt.

Réponse : _____

Qui suis-je ?
Je travaille dans une voiture. Je vais chercher les gens et je les dépose à l'adresse voulue.

Réponse : _____

Fleuriste, archéologue, clown, facteur, entomologiste, chauffeur de taxi.

Objectif grammatical
L'accord de l'adjectif qualificatif

Objectif de communication
Décrire les caractéristiques d'un objet,
d'une situation, d'un animal.

Pot-pourri

A. À l'aide des adjectifs de la colonne du milieu et de celle de droite, décrivez
les éléments de la colonne de gauche. Inspirez-vous de l'exemple ci-dessous.

Exemple   Le ciel est bleu. Le ciel est sombre. Le ciel est clair…

1. Le ciel	rouge	sec, sèche
2. La farine	blanc, blanche	transparent, transparente
3. Le soleil	gris, grise	sombre
4. Le lait	noir, noire	clair, claire
5. Le chocolat	orange*	long, longue
6. Les carottes (f)	jaune	mou, molle
7. Le café	rose	croquant, croquante
8. Les nuages (m)	vert, verte	bon, bonne
9. Le pingouin	brun, brune	dur, dure
10. La pomme	violet, violette	chaud, chaude
11. Le perroquet	bleu, bleue	froid, froide
12. Le tigre	doré, dorée	dangereux, dangereuse
13. Les papillons (m)	argenté, argentée	joli, jolie
14. L'eau	multicolore	sucré, sucrée
15. Les marguerites (f)	* adjectif invariable	doux, douce
16. La lune		

Le groupe du nom **81**

B. À quelles couleurs associez-vous les situations, les saisons ou les objets suivants ? Pourquoi ? Discutez-en oralement en équipes. Suivez l'exemple ci-dessous.

> Exemple   Pour vous, de quelle couleur est le lundi matin ?
> Pour moi, le lundi matin, c'est jaune.

1. Le coucher de soleil, l'été _____
2. Une lettre d'amour _____
3. Une lettre d'adieu _____
4. L'hiver _____
5. L'automne _____
6. La vérité _____
7. L'espoir _____
8. La passion _____
9. Le mariage _____
10. La mort _____
11. Le passé _____
12. Le futur _____

C. Expressions

Voici quelques expressions avec des couleurs. À chaque expression correspond une illustration ou une définition. À l'aide d'une flèche, reliez chaque expression à l'illustration ou à la définition appropriée.

A. Quelqu'un qui fait très bien la cuisine

B.

C. Couleur des cheveux après un certain âge

D. Être fâché

E. Ne pas avoir de problèmes financiers à un certain âge

F. Avoir la possibilité de faire ce qu'on veut

G.

1. Voir la vie en rose
2. Ce n'est pas rose.
3. Les Pages Jaunes
4. Le jaune de l'œuf
5. Il est rouge comme une tomate.
6. Rouge à lèvres
7. Une nuit blanche
8. Il fait noir.
9. Être bleu de colère
10. Un cordon bleu
11. Avoir le feu vert
12. Une retraite dorée
13. Des cheveux gris

H. Être optimiste

I.

J. Il a honte, il est gêné, il est confus.

K.

L. C'est difficile.

M.

Un garde-manger bien garni

A. Regardez l'image de la page précédente. En équipes de deux, dites si les aliments suivants se trouvent ou non dans ce garde-manger. Remplacez le complément par le pronom *en*, comme dans l'exemple ci-dessous.

Exemple   Est-ce qu'il y a de la farine ?   Oui, il y **en** a.
Non, il n'y **en** a pas.

1. De la farine

2. Du riz

3. Des céréales

4. Des pâtes

5. Du café

6. Du poivre

7. Des biscuits aux brisures
de chocolat

8. Du sel

9. Des tomates en conserve

10. De la sauce soya

11. Des confitures

12. Des noix

Tableau 1

Exemple **Mon** nom est Gertrude.	Et **votre** nom… ?	Comment **vous** appelez-**vous** ?
1. Mes enfants s'appellent Claire et Ramiro.	Et _____ ?	Comment s'appellent-ils ?
2.	Et tes amis ?	Ils habitent à Montréal ?
3. Ma voisine a une voiture sport.	Et _____ ?	A-t-elle une voiture sport ?
4. Mon patron est d'origine allemande.	Et _____ ?	Est-il allemand ?
5.	Et vos souliers ?	Sont-ils dans l'entrée ?
6. Ma sœur habite à Ottawa.	Et _____ ?	Elle habite à Ottawa, elle aussi ?
7.	Et ton cours ?	
8. Mon passeport est périmé.	Et _____ ?	Est-il encore valide ?
9. _____ sac est à la caisse.	Et _____ ?	Est-il à la caisse ?
10.	Et tes parents ?	Ils arrivent dimanche, eux aussi ?

Tableau 2

Exemple   *Je voudrais voir **ce** sac à main.*

1. Montrez-moi _____ robe, s'il vous plaît.

2. Quel est le prix de _____ souliers ?

3. Je vais prendre _____ pâtisserie.

4. Combien coûtent _____ gants ?

5. Est-ce que je peux essayer _____ manteau ?

6. _____ imperméable, il est en solde ?

7. Je voudrais savoir le prix de _____ vélo. Il n'est pas indiqué.

8. Est-ce que je peux regarder _____ livre un instant ?

9. J'aimerais savoir le prix de _____ veste en lin.

10. On regarde _____ meubles, on les trouve très originaux.

11. Je n'aime pas du tout _____ restaurant.

12. Combien coûte _____ parapluie ?

13. _____ tarte, elle est aux framboises ?

14. Tu aimes _____ chapeau ?

15. Où est-ce que je mets _____ caisses ?

16. _____ tableaux sont très beaux.

17. J'aime bien _____ ensemble. Quel est son prix ?

18. Pouvez-vous me montrer _____ valise ?

19. _____ vin rouge, il est californien ?

20. Est-ce que je pourrais essayer _____ complet ?

Tableau 3

Exemple *Vous prenez le chandail rouge ?*	*Oui, je prends* **celui-là**.
1. Tu achètes la cravate en soie ?	Oui, _____.
2. Vous prenez les gants de laine ?	Non, _____.
3. Tu prends ce disque ?	Oui, je _____.
4. Vous allez essayer ces souliers ?	Oui, _____.
5. Tu aimes ces fleurs ou tu préfères les autres ?	
6. Vous prenez le train de midi dix ?	Oui, _____.
7. Quel chandail désirez-vous essayer ?	
8. Avez-vous choisi une chemise ?	Oui, _____.
9. Tu aimes cette cravate-là ?	Non, _____.
10. Vous prenez ces sandales ?	Oui, _____.
11. Quelle voiture préférez-vous ?	
12. Vous prenez la cravate à pois ?	Oui, _____.
13. Allez-vous prendre ce dessert ?	Non, _____.
14. Vous prenez ces papiers-ci ou ces papiers-là ?	
15. Quelle couleur préfères-tu ?	
16. Regarde ces deux toiles, laquelle préfères-tu ?	
17. Vous allez prendre ces bottes ?	Oui, _____.
18. Quel dessert prends-tu ?	
19. Quel est le prix de ce téléviseur ?	_____ ? Il coûte 300 dollars.
20. Vous prenez la ligne d'autobus 58 ?	Oui, _____.

Le groupe du nom   **87**

Tableau 4

Exemple *le* journal	*ce* journal	*un* journal
1. les espadrilles		
2.	cette enveloppe	
3.		des gants
4. la blouse		
5.	cet habit	
6.	ces enfants	
7. le manteau		
8. les assiettes		
9.		une robe
10.		un imperméable
11. la tasse		
12.	ce chien	
13.		des billets
14. les ordinateurs		
15.	cette voiture	

*Les déterminants et les pronoms démonstratifs,
les pronoms interrogatifs, les pronoms compléments*

Tableau 5

A.

Exemple	*Je voudrais voir ce chandail.*	*Lequel ?*	*Celui-là.*
1.		Laquelle ?	
2.	On aimerait essayer ces jupes courtes.		
3.		Lesquels ?	
4.	J'aimerais voir cet imperméable.		
5.			Ceux-là.
6.		Lesquelles ?	
7.	Je voudrais goûter à ce gâteau.		
8.	Alors, vous prenez cette cravate ?		
9.			Ceux-là.
10.			Celle-ci.

B.

Exemple	**Cette** robe, vous **la** prenez ?
1. _____,	vous les essayez ?
2. Cet imperméable,	_____ ?
3. _____,	tu le prends ?
4. _____,	vous l'achetez ?
5. Ces souliers,	_____ ?
6. _____,	tu les aimes ?
7. Ces bottes d'hiver,	_____ ?
8. Ce manteau,	_____ ?
9. _____,	vous les prenez ?
10. Ce foulard,	_____ ?

Tableau 5 (*suite*)

c.

Exemple ***Quel*** *journal vous prenez ?*	**Celui-ci**.
1. Quelles bottes vous voulez essayer ?	
2. _____ parfum vous prenez ?	Celui-là.
3. Quels gants vous portez ?	
4. Tu prends quelle chaise ?	
5. _____ café vous préférez ?	Celui-là.
6. Avec quel outil vous travaillez ?	
7. Avec _____ carte allez-vous payer ?	Avec celle-ci.
8. Vous prenez quelles fleurs ?	
9. _____ souliers préférez-vous ?	Ceux-ci.
10. Dans quelle cabine êtes-vous ?	
11. Quel est votre bureau ?	
12.	Celle-ci.
13.	Ceux-là.
14. C'est lequel, votre chien ?	
15. Quelle recette fait-on ?	

Tableau 6

A.

Exemple	*Passe-moi le sel.*	*Comment, tu prends **du** sel?*
1.	Passez-moi le vin.	Comment, vous buvez _____ ?
2.	Passe-moi _____ .	Comment, tu manges du chocolat?
3.	Passez-moi la carafe d'eau, s'il vous plaît.	Comment, vous buvez _____ ?
4.	Passe-moi le pain, s'il te plaît.	Comment, tu manges _____ ?
5.	Passe-moi _____ .	Comment, tu manges de la marmelade?
6.	Passe-moi la confiture.	Comment, tu prends _____ ?
7.	Passez-moi _____ .	Comment, vous mangez du beurre?
8.	Passe-moi _____ .	Comment, tu achètes du lait?

B.

Exemple	*Un peu de sel?*	*Non, merci, **je ne prends pas** de sel.*	*Je n'aime pas le sel.*
1.	_____ jambon?	Non, merci, je ne mange pas _____ .	Je n'aime pas _____ .
2.	Un peu de poivre?	Non, merci, je ne prends pas _____ .	Je déteste _____ .
3.	_____ confiture aux fraises?	Non, merci, je ne mange pas _____ .	Je n'aime pas _____ .
4.	_____ huile?	Non, merci, je ne prends pas _____ .	Je déteste _____ .
5.	_____ salami?	Non, merci, je ne mange pas _____ .	Je n'aime pas _____ .
6.	Vous prenez _____ crème fouettée?	Non, merci, je ne mange pas _____ .	Je n'aime pas _____ .
7.	_____ noix?	Non, merci. Je ne prends pas _____ .	Je n'aime pas _____ .
8.	_____ yogourt?	Non, merci. Je ne veux pas _____ .	Je n'aime pas beaucoup _____ .

Le groupe du nom **91**

Tableau 7

Exemple une *nouvelle* revue	un *nouveau* journal
1. Une belle maison	Un _____ voyage
2. Une écrivaine _____	Un peintre québécois
3. Une province _____	Un mets mexicain
4. Une route dangereuse	Un chemin _____
5. Une activité _____	Un jeu amusant
6. Une grande amie	Un _____ ami
7. Une entrée _____	Un vin délicieux
8. Une femme sportive	Un homme _____
9. Une jolie fillette	Un _____ garçon
10. Une veste courte	Un veston _____
11. Une _____ rue	Un petit quartier
12. Une salade _____	Un chandail vert
13. Une soirée intéressante	Un film _____
14. Une activité passionnante	Un travail _____
15. Une tête _____	Un lit dur
16. Une chambre ensoleillée	Un bureau _____
17. Une soupe _____	Un plat chaud
18. Une montre _____	Un vase doré
19. Une personne froide	Un tempérament _____
20. Une voiture _____	Un ciel gris

3 L'infinitif et les auxiliaires modaux

Sommaire

Tableau grammatical

A. Les auxiliaires modaux

Pouvoir

Forme affirmative	Forme négative
Je peux/pourrais	Je ne peux/pourrais pas
Tu peux/pourrais	Tu ne peux/pourrais pas
Elle (il, on) peut/pourrait	Elle (il, on) ne peut/pourrait pas
Nous pouvons/pourrions	Nous ne pouvons/pourrions pas
Vous pouvez/pourriez	Vous ne pouvez/pourriez pas
Ils (elles) peuvent/pourraient	Ils (elles) ne peuvent/pourraient pas

Valeurs

Possibilité	→	Je **peux** faire ce travail.
Impossibilité	→	Je **ne peux pas** finir aujourd'hui.
Permission	→	Est-ce que je **peux** entrer ?
Demande	→	Est-ce que je **peux** avoir un sandwich aux œufs ?

Vouloir

Forme affirmative	Forme négative
Je veux/voudrais	Je ne veux/voudrais pas
Tu veux/voudrais	Tu ne veux/voudrais pas
Elle (il, on) veut/voudrait	Elle (il, on) ne veut/voudrait pas
Nous voulons/voudrions	Nous ne voulons/voudrions pas
Vous voulez/voudriez	Vous ne voulez/voudriez pas
Ils (elles) veulent/voudraient	Ils (elles) ne veulent/voudraient pas

Valeurs

Refus d'un objet	→	Je **ne veux pas** d'alcool, merci.
Refus de faire quelque chose	→	Je **ne veux pas** sortir.
Invitation	→	**Voudriez**-vous venir chez moi ?
Offre d'un objet	→	**Veux**-tu un verre ?

Devoir

Forme affirmative	Forme négative
Je dois/devrais	Je ne dois/devrais pas
Tu dois/devrais	Tu ne dois/devrais pas
Elle (il, on) doit/devrait	Elle (il, on) ne doit/devrait pas
Nous devons/devrions	Nous ne devons/devrions pas
Vous devez/devriez	Vous ne devez/devriez pas
Ils (elles) doivent/devraient	Ils (elles) ne doivent/devraient pas

Valeurs		
Obligation	→	Vous **devez** prendre ce médicament.
Suggestion	→	Tu **dois** prendre la première à droite.
Interdiction	→	Tu **ne dois pas** fumer ici.

Aller

Forme affirmative	Forme négative
Je vais	Je ne vais pas
Tu vas	Tu ne vas pas
Elle (il, on) va	Elle (il, on) ne va pas
Nous allons	Nous n'allons pas
Vous allez	Vous n'allez pas
Ils (elles) vont	Ils (elles) ne vont pas

Valeurs

Futur proche	→	Cette semaine, je **vais** aller chez ma copine.

Falloir

Forme affirmative	Forme négative
Il faut/faudrait	Il ne faut/faudrait pas (+ infinitif)

Valeurs

Prescription	→	**Il faut** attendre dehors.
Interdiction	→	**Il ne faut pas** stationner ici !

B. Constructions avec l'infinitif

Verbes	Préposition
conseiller (de)	pour + infinitif
dire (de)	
suggérer (de) + infinitif	
proposer (de)	
demander (de)	
servir (à)	

Je marche **pour** *maigrir.*

Exemple   Cela **sert** à ouvrir les boîtes.

Je te **conseille**
de prendre une aspirine.

Tout pour la randonnée pédestre

A. Regardez les images ci-dessous. De quel équipement a-t-on besoin pour faire de la randonnée pédestre ? Discutez-en avec un ou une partenaire en utilisant les expressions de l'encadré. Calculez le coût total de l'équipement.

> ### Tout pour la randonnée pédestre
>
> Même si vous partez pour une courte randonnée, vous devez vous préparer. L'équipement peut vous paraître imposant, mais, en réalité, il est étonnamment léger et il se place bien dans un sac à dos. Voici ce dont vous avez besoin, ainsi que le prix approximatif de chaque article.

- short de randonnée en coton, 65 $
- bottes de randonnée, 195 $
- chaussettes de randonnée en polyester, 20 $
- T-shirt ou maillot de corps soyeux (bon en cas de chaleur, de froid, de pluie), 45 $
- pantalon léger (à séchage rapide), 95 $
- survêtement imperméable, 200 $
- veste molletonnée (pour les températures fraîches), 95 $
- lunettes de soleil avec protection UV, 34 $
- écran solaire, 11 $
- chasse-moustiques, 9 $
- sac à dos, 99 $
- jumelles, 59 $
- appareil photo, 190 $
- trousse de premiers soins, 42 $
- couteau suisse, 69 $
- sifflet (en cas de pépin), 5 $
- bouteille d'eau, 6 $
- recueil de cartes de la région et des sentiers, 28 $
- collations

> On a besoin d'un, d'une…
> Il faut apporter, acheter, avoir…
> Il est important de porter…
> Ça prend… (+ objet)
> On a besoin de…
> Il est nécessaire d'avoir…
> C'est bien de…

B. Un de vos amis vient de s'acheter un vélo. Vous lui suggérez de se procurer quelques articles.

1. Remplissez les blancs en choisissant les mots appropriés dans la liste des choses indispensables ci-dessous.

2. Donnez des conseils d'achat à votre ami en utilisant les expressions de l'encadré.

Tu as besoin de…	Il est indispensable de… + infinitif
…, c'est nécessaire	Il te faut… + objet
…, c'est indispensable	Il est obligatoire de… + infinitif
…, c'est important	Je te suggère de… + infinitif
Il est nécessaire de… + infinitif	Je te conseille de… + infinitif
C'est important de… + infinitif	

L'équipement d'un bon ou d'une bonne cycliste

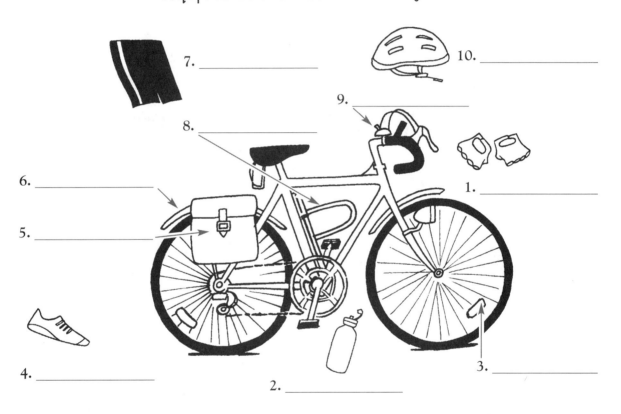

7. _____
10. _____
9. _____
8. _____
6. _____
1. _____
5. _____
4. _____
3. _____
2. _____

Les indispensables

Obligatoires pour le vélo…	Recommandés	Facultatifs
un projecteur une clochette une trousse de réparation un panier ou une sacoche	un cadenas en U des réflecteurs rouges des garde-boue	une pompe à air légère un odomètre électronique
Pour le cycliste…	**Recommandés**	**Facultatifs**
un casque un bidon d'eau	un short de cycliste des gants	des chaussures de cycliste

C. Écrivez vos suggestions ci-dessous.

1. _____
2. _____
3. _____
4. _____
5. _____
6. _____
7. _____
8. _____
9. _____
10. _____

D. Trouvez les intrus. Quels objets ne font pas partie de l'équipement du campeur?

L'équipement du campeur

2

Objectifs grammaticaux
Verbes suivis de l'infinitif
Il faut + infinitif

Objectif de communication
Donner des conseils.

Burnout

A. Quels conseils la psychiatre donne-t-elle à cette femme ? Discutez-en.

> Exemple   Il faut faire de l'exercice.

B. Donnez deux conseils aux personnes qui se plaignent des problèmes suivants. Écrivez-les.

1. Mes voisins n'arrêtent pas de faire du bruit après 22 heures.

_____   _____

2. Ma voiture tombe en panne toutes les semaines.

_____   _____

3. Mon chat Minouchki ne veut pas manger.

_____   _____

4. L'autobus arrive toujours en retard.

_____   _____

5. Ma fille parle au téléphone six heures par jour.

_____   _____

Objectif grammatical
Les auxiliaires modaux suivis de l'infinitif

Objectif de communication
Inviter quelqu'un à faire quelque chose.

Qu'est-ce qu'on fait samedi soir ?

A. Voici deux activités de loisir : un spectacle de danse et une soirée au cinéma. Pour chacune des activités, faites des propositions à un ou une partenaire. Utilisez à cette fin les expressions de l'encadré.

Est-ce que tu voudrais aller…	On pourrait… + infinitif
Tu aimerais…	J'aimerais… + infinitif
Tu veux…	Ça me tente de… + infinitif
Je te propose de… + infinitif	Ce serait bien de… + infinitif
Ça te dirait quelque chose de… + infinitif	

_____
_____
_____
_____
_____
_____
_____
_____
_____
_____
_____
_____
_____
_____

_____
_____
_____
_____
_____
_____
_____
_____
_____
_____
_____
_____
_____
_____
_____
_____
_____

6 NOMINATIONS PRIX JUTRA

dont

MEILLEUR FILM

MEILLEURE RÉALISATION – *Robert Lepage**
MEILLEUR SCÉNARIO – *Robert Lepage et André Morency*

Nô

« J'ai adoré !
C'est méchant, drôle…
Anne-Marie Cadieux
est extraordinaire ! ! ! »
Nathalie Petrowski, CKAC

« Un Woody Allen à la québécoise. On découvre un autre
Robert Lepage, c'est rafraîchissant ! Anne-Marie Cadieux
est époustouflante ! »
Pénélope McQuade, SALUT BONJOUR ! TVA

À L'AFFICHE !
Sam., Dim., Mar., Mer. : 1:35 – 4:05 – 6:45 – 9:05
Ven., Lun., Jeu. : 4:05 – 6:45 – 9:05

* Robert Lepage : metteur en scène et cinéaste québécois.

B. Nathalie et Raul veulent aller au restaurant ce soir. Nathalie propose *Altitude 737*. Raul pose des questions. Écrivez le dialogue entre eux. Inspirez-vous de l'affiche publicitaire et des questions de l'encadré.

C'est à quelle heure ?	Tu es sûre que c'est bon ?
C'est où ?	Qu'est-ce qu'on peut manger ?
Tu connais cet endroit ?	Est-ce qu'il faut réserver ?
Est-ce qu'il y a un stationnement ?	C'est quel genre de cuisine ?
Combien ça coûte ?	Est-ce que c'est cher ?

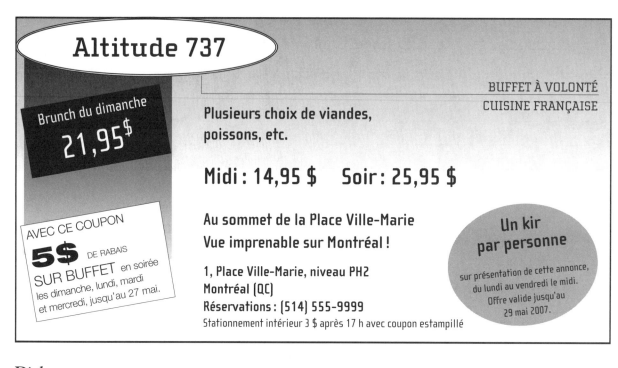

Dialogue

– _____

– _____

– _____

– _____

– _____

– _____

– _____

– _____

– _____

– _____

– _____

– _____

– _____

– _____

Objectif grammatical
Les auxiliaires modaux **pouvoir** et **vouloir** suivis de l'infinitif

Objectif de communication
Se renseigner au sujet de quelque chose.

Renseignements

Les verbes *pouvoir* et *vouloir*

Pourriez-vous me dire... + quelque chose	Pourriez-vous me dire à quelle heure...
Pouvez-vous me dire...	Pouvez-vous me dire où...
Je voudrais savoir...	Je voudrais savoir combien...

A. Demandez les renseignements suivants en utilisant des expressions de l'encadré.

1. Les heures d'ouverture de la bibliothèque

2. Les heures de départ des autobus pour Québec

3. Le prix d'un forfait pour deux personnes à l'auberge

4. Le numéro de téléphone de...

5. L'adresse de...

6. Les sports qu'il est possible de pratiquer à l'auberge...

7. Le prix d'un billet d'entrée pour un concert de l'Orchestre symphonique de Montréal

8. L'horaire des films au cinéma...

9. Le prix d'un billet aller-retour pour Québec

10. Le numéro de téléphone de la billetterie de la Place des Arts

11. Le prix d'un billet d'avion Montréal-Toronto pour un enfant, en classe économique

12. La date des feux d'artifice présentés par l'Italie

Règlements

A. Cherchez l'intrus. Dans chaque groupe de trois phrases, trouvez celle qui ne veut pas dire la même chose que les deux autres.

Au restaurant

1. On peut utiliser le téléphone cellulaire.

2. Le téléphone cellulaire est permis.

3. Le téléphone cellulaire est interdit.

Réponse : _____

À bord de l'avion

1. On ne doit pas transporter des objets dangereux.

2. On peut transporter des objets dangereux.

3. Il est interdit de transporter des objets dangereux.

Réponse : _____

Dans la rue

1. On peut fumer.

2. On doit fumer.

3. C'est possible de fumer.

Réponse : _____

Au parc

1. Il est interdit de boire de l'alcool.

2. Boire de l'alcool est défendu.

3. On peut boire de l'alcool.

Réponse : _____

Au cinéma

1. Il faut garder le silence.

2. Il est obligatoire de rester silencieux.

3. On peut faire silence.

Réponse : _____

B. Regardez les pictogrammes. À l'aide des expressions de l'encadré, composez les règlements pour les endroits mentionnés.

Exemple   Il est interdit de courir.

Il est interdit de…	Ce n'est pas permis de…
On ne peut pas…	Le, la… est interdit(e)
Il faut…	Les… sont interdit(e)s

À la piscine publique	Au Festival de jazz
1. _____	1. _____
2. _____	2. _____
3. _____	3. _____

À la bibliothèque municipale	À l'hôpital
1. _____	1. _____
2. _____	2. _____
3. _____	3. _____

C. Vous suivez un cours d'immersion en langue française à Québec et vous logez chez une vieille dame. Les règlements de la maison sont nombreux! Vous téléphonez à un ami pour lui raconter comment cela se passe. Complétez les bribes du dialogue en vous référant aux règlements de l'encadré.

Règlements de la maison

Vous ne pouvez pas faire la cuisine dans votre chambre.

Vous pouvez laver vos vêtements dans la salle de bain.

Il est interdit de faire jouer de la musique après 21 heures.

Le déjeuner est servi entre 7 heures et 8 heures.

Vous ne pouvez pas inviter d'amis dans votre chambre.

Il est interdit d'installer des affiches aux murs.

Il est obligatoire d'enlever ses souliers en entrant.

Pas d'appels interurbains.

Pas d'animaux dans la chambre.

1. – Tu sais, le cours est intéressant, mais les règlements de la maison sont sévères.

_____ prendre mon déjeuner entre 7 heures et 8 heures du matin. C'est assez tôt. Je n'aime pas me lever à 7 heures.

2. – _____ dans ma chambre. Les odeurs dérangent madame Bassemine.

3. – Après 21 heures, _____ à cause du bruit. Madame Bassemine se couche à 21 heures. C'est assez « plate ».

4. – _____ mes amis dans ma chambre. Je ne sais pas pourquoi. Je trouve ça un peu fort.

5. – _____ chaque fois que j'entre dans la maison. Tu sais ? Tout est impeccable. Madame Bassemine adore la propreté.

6. – Pour finir, _____ téléphoner chez moi. J'utilise donc ma carte d'appel ou j'envoie des courriels.

Objectif grammatical
Le futur proche

Objectif de communication
Décrire son emploi du temps
pour les semaines à venir.

Rita Lalancette : sa vie de château

Rita Lalancette vit au château de Frontignac avec ses deux chiens et ses trois chats. Elle passe ses vacances à la Villa du Lac ou sur son yacht, le *Neptune*, où elle organise souvent des fêtes inoubliables. Elle collectionne les lunettes de soleil et les bagues originales.

A. Regardez l'agenda de Rita Lalancette. Discutez avec un ou une partenaire des activités qu'elle va faire pendant le mois d'avril.

SEMAINE DU 1er AVRIL *Activités prévues pour le début du mois d'avril : ma vie de château*

AVRIL	LUNDI 1er	MARDI 2	MERCREDI 3	JEUDI 4	VENDREDI 5	SAMEDI 6
MATIN	Repos	Séance de photos au château	Tournage de la publicité pour les voitures de luxe (Multiplexe)	Visite chez le bijoutier	Repos sur le yacht Neptune (toute la journée)	Villa du Lac Séance de massage
APRÈS-MIDI	Visite chez le couturier	Entrevue avec Marie Bédard, journaliste de la revue Allô		Salon de beauté (massage)		DIMANCHE 7
SOIR			Cocktail et vernissage chez le peintre Henri-David Achat d'une œuvre	Arrivée de Mario Dupuis, de Londres (séjour de 4 jours)		Villa du Lac Repos toute la journée

SEMAINE DU 8 AVRIL Activités prévues pour le début du mois d'avril : ma vie de château

AVRIL	LUNDI 8	MARDI 9	MERCREDI 10	JEUDI 11	VENDREDI 12	SAMEDI 13
MATIN				Vacances	Vacances	Vacances
APRÈS-MIDI						DIMANCHE 14
SOIR						Vacances

Lecture du scénario du film L'Infidèle

B. Rita Lalancette parle avec son gérant. Ils essaient de fixer un rendez-vous. Mais la vedette est très occupée et refuse souvent les propositions du gérant. Complétez le dialogue, puis jouez-le avec un ou une partenaire.

Le gérant : – *On peut se voir le lundi 5 avril, le matin ?*

Rita : – *Impossible ! Le 5 avril, _____.*

Le gérant : – *As-tu des nouvelles de l'article pour la revue Allô ?*

Rita : – *Oui, _____.*

Le gérant : – *Et le scénario de L'Infidèle ?*

Rita : – _____.

Le gérant : – *Le tournage pour la firme Multiplexe, c'est pour quand ?*

Rita : – _____.

Le gérant : – *Qu'est-ce que tu vas porter ?*

Rita : – _____ *une robe à paillettes noire et*

_____.

Le gérant : – *Des lunettes ?*

Rita :   – Oui, _____.

Le gérant : – Qu'est-ce que tu vas faire le 3 avril ? Il y a une soirée chez les Willis.
             Tu vas être là ?

Rita :   – Impossible, tu sais bien que je déteste les Willis. De plus, le 3 avril,
           je suis occupée _____.

Le gérant : – Le 5, tu te reposes… C'est noté. Est-ce qu'on peut alors se voir le 4,
           dans l'après-midi ?

Rita :   – Non, _____.

Le gérant : – Et le soir ?

Rita :   – Mais non ! Tu sais que _____.

Le gérant : – Mario Dupuis ?! Chez toi ? Il va rester combien de temps ?

Rita :   – _____.

Le gérant : – Écoute, Rita. Je dois te rencontrer durant la semaine du 1er avril.
           C'est important. Il faut penser à ta carrière.

Rita :   – D'accord. Je sors de la baignoire et je te rappelle.

L'infinitif et les auxiliaires modaux

Objectif grammatical
Les constructions avec l'infinitif

Objectifs de communication
Décrire un malaise.
Donner un conseil.

Aux grands maux, les grands remèdes!

A. Regardez les personnages. Ils sont malades. De quoi se plaignent-ils? Remplissez les bulles. Dans la colonne de droite, choisissez le malaise approprié à chaque cas. Utilisez les expressions de l'encadré.

Exemple

Oh! J'ai mal à la tête.

Katia

> Ayoye! J'ai mal!
> le rhume
> mal au dos
> mal à l'œil
> mal à une dent
> coupure au doigt
> mal au pied
> de la fièvre
> mal à la gorge
> le bras cassé
> mal au ventre
> la toux
> **mal à la tête**

1. Yvan

2. Yadel

- J'ai (très) mal à, à la, au, aux
  – (une partie du corps, au singulier) + me fait mal
  – (une partie du corps, au pluriel) + me font mal
- Je n'arrête pas de + infinitif (tousser, éternuer).
- J'ai du mal à marcher, respirer, voir, avaler, manger, etc.
- Je ne me sens pas bien.
- Je n'ai pas faim.
- J'ai de la fièvre.
- Je suis blessé(e).
- J'ai le rhume, une bronchite, un problème de digestion, etc.
- Je n'ai pas faim.

3. Nourah

4. Pépé Guy

5. Mémé Ingrid

6. Madame Dionne

7. Stéphanie

8. Carlos

9. Betty

10. Valérie

11. Simon

L'infinitif et les auxiliaires modaux **111**

B. Voici une liste de remèdes ou de choses à faire dans chaque cas. Oralement, puis par écrit, donnez un ou des conseils à chacune des personnes. Aidez-vous des expressions de l'encadré.

Recevoir un massage	Bain tiède	Compresses froides sur le front
Consulter le médecin	Garder le lit	Désinfectant
Tisane	Analgésique	Aller chez le dentiste
Aspirines	Lunettes	Sirop contre la toux
Soupe bien chaude	Plâtre	Boire beaucoup d'eau

- Tu dois, vous devez + infinitif
- Il te faut + nom
- Il vous faut + nom
- C'est bien de + infinitif
- Je te conseille de + infinitif

- Tu peux + infinitif
- Il faut + infinitif
- C'est nécessaire de + infinitif
- _____ est très bon pour ça.
- _____ sont très bons pour ça.

1. Katia

2. Pépé Guy

3. Yadel

4. Yvan

5. Nourah

6. Valérie

7. Mémé Ingrid

8. Madame Dionne

9. Stéphanie

10. Betty

11. Simon

12. Carlos

1. Katia, tu _____.

2. Pépé Guy, vous _____.

3. Yadel, _____.

4. Yvan, _____.

5. Nourah, _____.

6. Valérie, _____.

7. Mémé Ingrid, vous _____.

8. Madame Dionne, _____.

9. Stéphanie, _____.

10. _____, Betty.

11. _____, Simon.

12. Carlos, tu _____.

8

Objectifs grammaticaux
Pour + infinitif
Devoir + infinitif
Falloir + infinitif

Objectif de communication
Exprimer un devoir, une obligation.

Chemin obligé

A. Remplissez les blancs à l'aide d'une expression exprimant l'obligation suivie d'un verbe (dans l'encadré). Dans la colonne de droite, vous trouverez des suggestions de réponses.

Exemple   *Pour devenir citoyen canadien :*
- Il faut résider au Canada pendant trois ans.
- C'est nécessaire de passer un examen.

> Il faut – c'est nécessaire de – c'est important de – c'est obligatoire de + infinitif

1. Pour trouver un bon logement
- _____
- _____

2. Pour gagner du poids
- _____
- _____

3. Pour perdre du poids
- _____
- _____

4. Pour obtenir un permis de conduire
- _____
- _____

5. L'été au Mexique
- _____
- _____

6. L'hiver au Québec
- _____
- _____

- Porter de bons vêtements chauds
- Se promener dans les rues
- Suivre un cours dans une école de conduite
- **Résider au Canada pendant trois ans**
- Avoir une bonne santé
- Avoir l'air climatisé à la maison
- Manger beaucoup de sucreries
- Arrêter de faire de l'exercice
- Prendre plusieurs douches par jour
- **Passer un examen**
- Rester au bord de la mer
- Faire un régime à basses calories
- Faire de l'exercice
- Avoir des contacts
- Étudier le Code de la route
- Lire les petites annonces
- Boire beaucoup d'eau
- Avoir un humidificateur dans la maison

Tableau 1

A. *Vouloir et pouvoir*

Exemple Vous **voulez** prendre du vin ?	*Non, je ne **peux** pas prendre d'alcool.*
1. _____ venir chez moi ce soir ?	Non, je ne peux pas sortir.
2. _____ déménager l'été prochain ?	Non, nous ne pouvons pas déménager.
3. Voulez-vous rester ici ?	Non, on _____.
4. Tu veux attendre quelques jours ?	Non, _____.
5. _____ amener Paul à l'aéroport ?	Non, on _____.
6. _____ patienter, s'il vous plaît ?	Non, je _____.
7. _____ ?	Non, on ne peut pas rester ici.
8. _____ ?	Non, nous ne pouvons pas accepter cette offre.

B. *Vouloir et devoir*

Exemple Vous **voulez** rester une autre journée ?	*Non, on **doit** partir ce soir.*
1. _____ prendre un autre verre ?	Non, je dois faire attention.
2. _____ partir un samedi ?	Non, on doit partir un vendredi.
3. Aimeriez-vous prendre votre temps ?	Non, nous _____ vite.
4. Tu veux partir tout de suite ?	Non, je _____ une heure.
5. _____ ?	Non, je dois envoyer ce courrier aujourd'hui.
6. Voulez-vous encore un peu de dessert ?	Non, je _____ faire attention.
7. _____ ?	Non, je regrette, mais je dois rester à Montréal la semaine prochaine.
8. Veux-tu prendre ce billet ?	Non, je _____ avec mon copain avant de prendre une décision.
9. _____ ?	Non, ils doivent partir ce soir.
10. Veux-tu sortir ?	Non, c'est dommage, _____.

L'infinitif et les auxiliaires modaux **115**

Tableau 2

Exemple	**Il faut** porter une cravate ici, monsieur.	Pardon ? **Il est obligatoire** de porter une cravate ?	Oui, c'est ça.
1.	_____ attendre dehors, monsieur.	Pardon, il est obligatoire d'attendre dehors ?	Oui, exactement.
2.	Il faut sortir, l'alarme vient de sonner.	Quoi, _____ _____ ?	Oui, vite !
3.	Il faut porter la veste pour assister au concert.	Comment ? _____ _____ ?	Oui, c'est ça.
4.	_____ être résidant de Montréal pour avoir la carte des musées.	Alors, il est obligatoire d'habiter à Montréal ?	Oui, c'est bien ça.
5.	Il faut éteindre son cellulaire ici ?		Voilà, c'est ça.
6.		Quoi, il est obligatoire de porter un casque pour visiter le chantier ?	Oui.
7.	Il faut prendre un numéro.	Quoi, _____ _____ ?	
8.	Il faut avoir plus de 16 ans pour conduire.	Quoi, _____ _____ ?	
9.		Pardon ? Il est obligatoire de retourner les livres cette semaine ?	
10.	Il faut avoir une voiture pour faire ce travail.	Alors, _____ _____ ?	C'est bien ça.

Les auxiliaires modaux aux formes affirmative et négative

Tableau 3

A. *Pouvoir, vouloir, devoir, aller*

Exemple *Je **peux** venir.*	*Je **ne peux pas** venir.*
1. On doit sortir.	
2. On veut entrer.	
3.	Tu ne peux pas faire ça.
4.	Vous ne pouvez pas rester là.
5. Tu veux prendre un verre ?	
6. Vous allez assister à la conférence.	
7.	Je ne veux pas prendre des vacances pendant l'hiver.
8. Tu dois faire attention.	
9.	Tu ne vas pas avoir de problème.
10. Je peux rédiger la lettre tout de suite.	

B. J'aimerais…

Exemple *On aimerait faire ce travail.*	*On **n'**aimerait **pas** faire ce travail.*
1. J'aimerais voir Christopher à la réception.	
2. Vous pourriez venir à 16 heures ?	
3. Tu pourrais sortir la poubelle ?	
4.	Tu n'aimerais pas aller au cinéma ?
5. On pourrait laisser ça pour demain ?	
6. On devrait appeler une ambulance.	
7.	Vous ne devriez pas sortir.
8. On voudrait trouver un hôtel près du centre-ville.	
9. Tu devrais acheter un ordinateur portable.	
10.	Je ne devrais pas travailler cette fin de semaine.

L'infinitif et les auxiliaires modaux

Tableau 3 (*suite*)

C. *Conseiller de, suggérer de, devoir + infinitif*

Exemple ***Je vous conseille de*** *prendre deux semaines de vacances.*	***Vous devez*** *prendre deux semaines de vacances.*
1. Je te suggère de prendre une chambre à l'hôtel Pacifique.	
2. Je te conseille de demander un autre prix ailleurs.	
3.	Vous devez prendre ces pilules.
4. Je vous conseille d'apporter des vêtements chauds.	
5.	Tu dois consulter mon garagiste.
6. Je te suggère d'aller voir mon médecin de famille.	
7.	Vous devez appeler un technicien.
8.	Tu dois voir une naturopathe.
9. Je vous suggère de faire plus d'activité physique.	
10. Je te conseille de rester calme.	

Tableau 4

Exemple *Alors, **vous allez nager** dans le lac ?*	*Oui, **on va nager** dans le lac.*
1. Alors, tu _____ _____ ?	C'est ça, je vais louer une voiture.
2. C'est vrai que Micheline va visiter Gatineau en fin de semaine	Non, _____ _____ .
3.	Non, ils vont rester chez moi.
4. C'est vrai que tu vas travailler dans le Grand Nord ?	Oui, _____ _____ .
5.	Non, nous allons prendre l'avion. C'est plus rapide.
6.	Oui, on va aller dans l'Ouest canadien.
7. Vous allez peindre votre chambre ?	C'est bien ça, _____ _____ en bleu.
8. Ton copain va déménager ?	Non, _____ .
9.	Non, elle va étudier en informatique.
10.	Oui, on va chercher les enfants à la garderie.

L'interrogation directe et indirecte

Sommaire

© 2006 Marcel Didier inc. — Reproduction interdite

Tableau grammatical

A. La question totale

	Exemples
Avec *Est-ce que*...	**Est-ce que** tu danses ? (à l'oral et à l'écrit)
Avec inversion du sujet	Danses-**tu** ? (à l'oral et à l'écrit)
Interrogation tonale	**Tu** danses ? (registre familier, à l'oral seulement)

B. La question partielle (les mots interrogatifs)

1. Quand, où, comment, combien, pourquoi
Combien de + nom, quel, quelle, quels, quelles + nom
Préposition (à, de, pour…) + quel/quelle/quels/quelles

	Exemples
Avec *est-ce que*...	**Quand** est-ce que tu reviens ?
Inversion	**Quel** jour travailles-tu au centre-ville ?
Mot interrogatif à la fin (sauf avec pourquoi)	Vous venez **à quelle heure** ?

2. Quel, quelle, quels, quelles + verbe *être*

	Exemples
	Quelle est votre adresse ? C'est quoi votre adresse ? (registre familier)
	Quel est ton numéro de téléphone ?
	Quelles sont vos disponibilités ?

3. Quelque chose
Quoi ? Qu'est-ce que…? Que…?

	Exemples
Avec *est-ce que*...	**Qu'**est-ce que tu manges ?
Inversion	**Que** prenez-vous ?
Français oral	Tu fais **quoi** ?

4. Qui ?

	Exemples
Avec *est-ce que*...	**Qui** est-ce que tu vois ?
Inversion	**Qui** attendons-nous ?
Français oral	Tu invites **qui** ?

C.   La question directe et la question indirecte

Question directe	Question indirecte
1. Question totale	**SI**
Exemple	
Est-ce que tu as froid ? (Luc pose la question à Nathalie)	Il lui demande **si** elle a froid.
2. Question partielle (avec mot interrogatif)	**Mot interrogatif + phrase**
Exemple	
À quelle heure partez-vous ? (Luc pose la question à Mme Plante)	Il lui demande **à quelle heure** elle part.
Autres mots interrogatifs	
Pourquoi, comment, où, quand *Avec qui, chez qui, quel (le) (s)*	
3. Question partielle (avec *Qu'est-ce que*...)	**CE QUE + phrase**
Exemple	
Qu'est-ce que tu fais ?	Il lui demande **ce qu'**elle fait.

Objectif grammatical	Objectif de communication
L'interrogation partielle : **quel**, **combien**	Demander le prix de quelque chose.

Le prix des choses

A. À l'aide des expressions de l'encadré, demandez et donnez le prix des objets de la liste.

Questions	Réponses
Combien coûte…	Il/elle coûte, ils/elles coûtent…
Quel est le prix de…	Le prix est de… dollars.
Combien ça coûte ?	Ça coûte…
Pourriez-vous me dire le prix de…	Ça fait…
Combien ça fait ?	
Ça fait combien ?	

Une croisière dans les Caraïbes

Un chalet au bord d'un lac

Une voiture à louer

Un manteau d'hiver

Un four à micro-ondes

Un ordinateur portable

Un mobilier de cuisine

Une paire de chaussures de sport

Une tente

Une bouteille de parfum et de la crème hydratante

Un sandwich jambon-fromage et un verre de jus de tomate

2

Objectif grammatical
L'interrogation partielle et totale :
où, *quand*, *à quelle heure...*, *est-ce que*

Objectif de communication
Obtenir des renseignements sur la vie
d'une personne.

Sondage

A. À l'aide des formes interrogatives et des éléments de la colonne de gauche, préparez
un sondage sur les activités de la vie quotidienne des gens.

Est-ce que tu/vous… ?	*Verbe* + -tu/-vous… ?
À quelle heure est-ce que tu/vous… ?	À quelle heure *verbe* + -tu/-vous ?
Où est-ce que tu/vous … ?	Où *verbe* + -tu/-vous… ?
Quand est-ce que tu/vous… ?	Quand *verbe* + -tu/-vous… ?
Avec qui est-ce que tu/vous… ?	Avec qui *verbe* + -tu/-vous… ?

Exemples

Quand laves-tu le plancher ?
Avec qui est-ce que vous mangez ?

À VOUS LA PAROLE !

1. Prendre le déjeuner _____

2. Aller au restaurant _____

3. Arroser les plantes _____

4. Faire la cuisine _____

5. Travailler _____

6. Lire le journal _____

7. Sortir le soir _____

8. Faire le ménage _____

9. Aller à la piscine _____

10. Aller à l'école _____

11. Écouter la radio _____

12. Jouer aux cartes _____

13. Passer l'aspirateur _____

14. Prendre le métro _____

15. Aller chez le coiffeur _____

B. Maintenant, poursuivez le sondage.

_____

_____

_____

_____

_____

_____

_____

_____

_____

_____

_____

_____

_____

C. Formulez et transformez les questions.

Exemple   **Quel** jour allez-vous à la piscine ?
           Le samedi ou le dimanche ?
           Le samedi matin.

1. _____ ?

La cuisine chinoise ou la cuisine française ?
Je préfère la cuisine chinoise.

2. _____ ?

Le rouge, le blanc ou le noir ?
J'adore le noir, pour les vêtements. Mais j'ai une voiture rouge !

3. _____ ?

L'hiver, l'été, le printemps ou l'automne ?
J'aime bien l'été, mais l'automne aussi. C'est une saison très romantique.

4. _____ ?

Les chats ou les chiens ?
Je préfère les chats. Ils sont plus indépendants.

5. _____ ?

Les romans d'aventure ou les romans policiers ?
Les romans policiers.

6. _____ ?

La Presse ou le *Journal du Midi* ?
La Presse.

7. _____ ?

J'aime bien les émissions d'actualité, les nouvelles, la politique en général.
Mais aussi les documentaires historiques.

8. _____ ?

Les biscuits au chocolat !

9. _____ ?

Les vacances de ski ou les vacances au bord de la mer ?
Je préfère la mer.

10. _____ ?

Le thé, le café ou la tisane ?
La tisane, c'est bien meilleur !

11. _____ ?

Les films d'action ou les films d'amour ?
Je préfère les films d'amour.

12. _____ ?

_____ .

_____ .

Objectifs grammaticaux
L'interrogation partielle :
où, *quand*, *à quelle heure...*
L'interrogation totale tonale

Objectif de communication
Obtenir et donner des renseignements précis
à propos d'une sortie.

3

On va au cinéma ?

A. Complétez le dialogue ci-dessous avec des questions. Puis, à deux, jouez-le.

Christophe : — *On va au cinéma ce soir ?*

Nathalie : — *Bonne idée, _____ ?*

Christophe : — *À 21 heures ?*

Nathalie : — *Non, 21 heures, c'est trop tard pour moi. _____ ?*

Christophe : — *Non, j'ai des choses à faire, puis _____*
_____.

Nathalie : — *Bon, d'accord, mais pas plus tard que 21 heures, car je ne veux pas*
me coucher trop tard, j'ai un travail important à finir avant vendredi.

Christophe : — *_____ ?*

Nathalie : — *C'est un contrat pour la compagnie Larose. _____ ?*

Christophe : — *Oui, je connais bien cette compagnie. J'ai travaillé pour elle pendant un an.*

Nathalie : — *Ah bon. Alors, _____ ?*

Christophe : — *Oui, 21 heures, c'est très bien. J'ai pensé au film Astérix...*

Nathalie : – Désolée, je l'ai vu hier. _____ Titanic ?

Christophe : – Oui, c'est parfait. _____ ?

Nathalie : – Au cinéma Ritz. C'est au centre-ville. _____ ?

Christophe : – Ah, ça, c'est une bonne idée. Comme ça, je ne dois pas faire la cuisine.

_____ ?

Nathalie : – Oui, justement, il y a un bon petit restaurant végétarien pas loin du cinéma.

Christophe : – Oh non, pas encore un restaurant végétarien ! J'ai envie de manger un bon
hamburger avec des frites. _____ ?

Nathalie : – Oui, c'est un bon choix. Bon, _____ ?

Christophe : – À 19 h 30, au restaurant _____ ?

Nathalie : – Excellent. _____ ?

Christophe : – Mais non, je viens en métro. C'est plus pratique.

Nathalie : – OK. Salut, à tout à l'heure !

Christophe : – Ciao !

B. Vous allez sortir le soir. Vous pouvez choisir le restaurant, l'opéra ou le cinéma.
Posez des questions à votre partenaire sur la sortie de votre choix.

Renseignements sur le film	Renseignements sur le restaurant	Renseignements sur l'opéra
Horaire : 19 heures, 21 heures	**Nom du restaurant :** *Du côté de chez Nan*	**Opéra à l'affiche :** *La Traviata*
Cinéma : L'Impérial	**Type de cuisine :** indienne	**Directeur :** Keanu Nagoya
Type de film : drame		**Prix du billet :** à partir de 40 $
Titre : *Au revoir, mon amour*	**Réservation obligatoire**	
Comédiens : Nina Masri, Lionel Foster	**Adresse :** 60, rue de la Gare	**Salle :** Place des Arts

4

Objectif grammatical
L'interrogation partielle : **à quelle heure…**
quel, **quelle**, **quels**, **quelles**, **combien**

Objectif de communication
Se renseigner.

À l'aéroport

A. Vous êtes à l'aéroport et vous devez obtenir les renseignements suivants. En équipes, posez les questions et répondez en regardant l'image.

1. L'heure de départ du vol 143 à destination de Calgary.

2. L'heure d'arrivée du vol 658 en provenance de Paris.

3. La destination du vol 598.

4. Le numéro du vol d'Air Chine en provenance de Hong Kong.

5. Le taux de change du franc suisse (par rapport au dollar canadien).

6. Le taux de change du dollar américain (par rapport au dollar canadien).

7. Le prix d'une voiture de location pour une semaine.

8. Le prix de la navette pour Montréal, pour adultes et pour enfants.

9. Le bureau de change.

10. Le bureau de renseignements.

Objectif grammatical
L'interrogation directe

Objectif de communication
Obtenir des renseignements
sur un voyage d'aventures.

Entrevue avec Bernard Voyer

A. Lisez le journal de bord de l'expédition de Bernard Voyer et l'entrevue qu'il donne
à un journaliste.

Extraits du journal de bord

CAPSULE LEXICALE

- *Blizzard* : vents violents.
- *Crevasse* : fissure.
- *Engelure* : effet que le froid intense peut provoquer sur la peau.
- *Pulka* : traîneau.
- *Whiteout* : brouillard très épais dans lequel on ne voit absolument rien, même pas à un mètre.

LE 9 NOVEMBRE 1995
Il reste 1 400 km à faire
pour arriver au pôle Sud.
Les pulkas* sont lourdes.
Elles pèsent 170 kg chacune.

LE 10 NOVEMBRE
Distance parcourue :
3 km seulement.

LE 11 NOVEMBRE
Progression : 10,5 km.

LE 13 NOVEMBRE
Il fait -25 °C. Il y a du soleil.

LE 14 NOVEMBRE
Jour de tempête de neige.
Les vents sont forts.
Il fait -11 °C à l'intérieur
de la tente. Bernard parle
par téléphone avec
l'animateur Joël Le Bigot.

LE 17 NOVEMBRE
Premier jour de whiteout*.
Le soleil ne se couche pas
pendant la nuit australe.

LE 23 NOVEMBRE
Les choses deviennent
sérieuses. Les vents sont
violents. Il fait très froid.
7 heures de ski. L'important,
c'est d'avancer.

LE 26 NOVEMBRE
Jour de repos. Vérification
des pulkas, de l'équipement,
de la réserve de nourriture
(poudre biodégradable),
des vêtements.

LE 27 NOVEMBRE
Il faut oublier la fatigue
et les efforts. Il faut
toujours continuer.

LE 1er DÉCEMBRE
Il fait -14 °C. On voit
les montagnes, au loin.
Le moral est très bon.

LE 9 DÉCEMBRE
Jour de blizzard*
antarctique. Il est
difficile d'avancer, car il y a
des crevasses* partout.

LE 22 DÉCEMBRE
L'espace est
une dimension qui perd
toute signification
quand les distances,
les odeurs et les sons
ne veulent plus rien dire.
Une toute petite seconde
peut procurer un
sentiment d'éternité
absolue.

LE 25 DÉCEMBRE
Noël blanc. Thierry sort
de sa pulka un petit sapin
du Québec. Distance
parcourue : 30 km.

LE 1er JANVIER 1996
Bernard crie de joie :
« Le pôle, Thierry ! »

LE 12 JANVIER
Mesdames et messieurs,
bienvenue au pôle Sud !
Thierry Petry et Bernard
Voyer sont les premiers
hommes à avoir atteint
le pôle Sud en autonomie
totale. Ils sont fatigués
et souffrent d'engelures*
mineures au visage,
mais ils sont fiers
de leur exploit.

B. Cochez la bonne réponse.

1. Du 9 au 10 novembre, l'équipe de Bernard Voyer parcourt

❏ 6 kilomètres.

❏ 3 kilomètres.

❏ 0 kilomètre.

2. Le 14 novembre, il fait très froid. À l'intérieur de la tente, la température est de

❏ -5 °C.

❏ 11°C.

❏ -11°C.

3. Le 14 novembre, Bernard Voyer parle au téléphone

❏ avec sa famille.

❏ avec un animateur de Radio-Canada.

❏ avec un ami.

4. Le 26 novembre,

❏ l'équipe se repose.

❏ l'équipe fait 10 kilomètres.

❏ l'équipe tourne un vidéo.

5. Les deux explorateurs voient les montagnes au loin pour la première fois le

❏ 1er novembre.

❏ 1er décembre.

❏ 1er janvier.

6. Les deux explorateurs arrivent au pôle Sud le

❏ 25 décembre.

❏ 12 janvier.

❏ 5 janvier.

7. L'équipe est arrivée au pôle Sud

❏ sans aide.

❏ avec l'aide d'un guide.

❏ avec l'aide d'un chien.

Entrevue avec Bernard Voyer

Le journaliste : – Bonjour, monsieur Bernard Voyer. Vous êtes le célèbre explorateur du pôle Sud. Tout un exploit ! J'ai quelques questions à vous poser.

Bernard Voyer : – Allez-y.

Le journaliste : – En expédition, quels vêtements portez-vous ?

Bernard Voyer : – Des vêtements spéciaux pour le froid et les vents. Ce sont des vêtements thermiques.

Le journaliste : – Quel équipement apportez-vous ?

Bernard Voyer : – Notre équipement est très complet. Nous apportons deux téléphones, des instruments pour mesurer les vents, la température, la pression. Nous avons aussi des boussoles très précises, une carte géographique, un ordinateur.

Le journaliste : – Que faites-vous quand il y a trop de vent ?

Bernard Voyer : – On reste à l'intérieur de la tente. On se repose, on écrit, on réfléchit.

Le journaliste : – Quel est votre moyen de communication ?

Bernard Voyer : – Nous avons un téléphone. Nous sommes en contact avec la base par satellite.

Le journaliste : – Comment transportez-vous vos provisions ? En sac à dos ?

Bernard Voyer : – Non, bien sûr que non ! La charge est trop lourde ! Nous tirons deux *pulkas*.

Le journaliste : – Maintenant, quelques auditeurs aimeraient vous poser des questions…

C. Écrivez les questions ci-dessous.

1. _____ ?

2. _____ ?

3. _____ ?

4. _____ ?

5. _____ ?

Le pôle Sud

- Plus de 40 stations de recherche scientifique.
- Base américaine de Amundsen-Scott.
- Entente internationale sur l'utilisation du pôle Sud à des fins pacifiques.
- Nations signataires du traité de l'Antarctique : l'Argentine, l'Australie, la Belgique, le Chili, les États-Unis, la France, la Grande-Bretagne, le Japon, la Nouvelle-Zélande, la Norvège et l'ex-URSS.
- Bernard Voyer a fait plusieurs expéditions. Pour en savoir plus, visitez le site http://www.bernard-voyer.com/

6

Objectif grammatical
L'interrogation totale et partielle :
est-ce que..., *combien de...* + *nom*
qu'est-ce que..., *où est-ce que...*

Objectif de communication
Obtenir des renseignements sur les habitudes
d'une personne.

Habitudes

A. En équipes de deux, répondez aux questions suivantes. Écrivez ensuite vos réponses.

> Exemple   Regardez-vous la télévision? **Combien d'heures** par semaine?
> Comme tout le monde, au moins quinze heures par semaine.

À VOUS LA PAROLE !

1. Naviguez-vous sur Internet? Combien d'heures par jour?

_____

2. Allez-vous au théâtre? Combien de fois par année?

_____

3. Prenez-vous des vacances à l'étranger? Combien de fois par année? Où allez-vous?

_____

4. Lisez-vous le journal? Lequel? Achetez-vous régulièrement le journal?

_____

5. Mangez-vous au restaurant? Combien de fois par semaine?

_____

6. Faites-vous vos courses pendant la semaine?

_____

7. Recevez-vous à manger à la maison? Combien de fois par mois?

_____

8. Lisez-vous des magazines sportifs? Lesquels?

_____

B. À partir des éléments ci-dessous et en vous inspirant des formes interrogatives proposées dans l'encadré, inventez des questions et écrivez-les.

Est-ce que…	Combien de fois par jour/semaine/mois/année Combien d'heures par jour/semaine Combien de + nom par jour/semaine/mois/année

Exemple   Jouer au tennis
Est-ce que vous jouez au tennis ?   **Combien de fois** par mois ?

À VOUS LA PAROLE !

1. Lire des romans

_____

2. Faire du sport

_____

3. Aller au cinéma

_____

4. Faire des voyages

_____

5. Regarder des films à la télévision

_____

6. Écouter la radio

_____

7. Faire des courses

_____

8. Partir en vacances

_____

9. Aller à la bibliothèque

_____

10. Bouquiner

_____

C. Trouvez les questions qui correspondent aux réponses. Écrivez-les.

Exemple   **Est-ce que** aimez sortir le soir ?
                  Oui, j'aime beaucoup sortir le soir.

À VOUS LA PAROLE !

1. _____ ?
Deux ou trois fois par semaine.

2. _____ ?
Avec mes copines ou avec mon copain.

3. _____ ?
Prendre un café, marcher…

4. _____ ?
Oui, la bibliothèque de mon quartier est très intéressante. C'est là que je vais.

5. _____ ?
J'aime beaucoup les magazines de mode ou de décoration.

6. _____ ?
Non, pas de romans !

7. _____ ?
Oui, je fais beaucoup de bricolage.

8. _____ ?
Je répare des meubles anciens.

9. _____ ?
Je ne fais pas de couture, mais je tricote un chandail par année.

10. _____ ?
Je passe mes vacances au chalet.

11. _____ ?
Face au lac à la Loutre, dans les Laurentides.

7

Objectif grammatical
L'interrogation partielle :
combien, quel + être...

Objectif de communication
Demander des précisions sur un prix.

Ça fait combien ?

A. En regardant le reçu de caisse ci-dessous, demandez des explications à la caissière. Utilisez les questions de l'encadré.

À l'épicerie

```
      MAXI ET CIE POINTE-CLAIRE
         6381, TRANSCANADIENNE
            TÉL.: 555-2525

  323162   POULET CUISSE DOS      3,67
  499079   POITRINE DE POULET     5,20
  443606   POULET DÉSOSSÉ         6,78
  668038   BIFTECK BŒUF           8,91
  560367   CHOUX BRUXELLES        2,99
  1086099  MONTIGNAC PAIN         3,99
  331025   FROMAGE SAPUTO         3,69
  461699   FROM. CRÈME LIBERTÉ    3,59
  580696   PAIN                   1,73
  362061   LAITUE ROMAINE         0,79
           0,585 kg @ 1,08 /kg
  324129   BANANES CHIQUITA       0,63
           0,270 kg @ 3,73 /kg
  359653   POIVRON ROUGE          1,01
           1,055 kg @ 1,09 /kg
  359703   POIVRON VERT           1,15
  721316   CAROTTES PELÉES        3,29
           COUPÉES
  357509   CANTALOUP              0,99
           2,055 kg @ 0,88 /kg
  561068   POMMES PAULARED        1,81
  425025   BRIE DAMAFRO TOUR      3,86
  482042   AVOCAT 22              0,99

  ****     SOUS-TOTAL            55,07
  868588   YOGOURT LIBERTÉ        1,99
  ****     SOUS-TOTAL            57,06
  ****     TAXE .00 TOTAL        57,06

  VP       CARTE DÉBIT
           57,06
  Nº COMPTE:4526025925019002
  AUTOR.:   41314900
           À RENDRE               0,00

    9/02/07 11:22 8995 05 0851 326
              v2.82

           MERCI!
```

QUESTIONS

- Ça coûte combien ?
- Pouvez-vous me dire le prix de...
- Quel est le prix de...
- C'est quoi le prix de*...
- Je voudrais savoir le prix de...

* (à l'oral, au Québec)

B. En regardant les reçus ci-dessous, trouvez les erreurs et signalez-les au serveur ou au caissier. Jouez la scène en équipe de deux.

Au restaurant

```
           FRITE ALORS!
         212, AV. DU LAC
             MONTRÉAL

        JEU. 11 FÉVRIER 2008

    FACTURE #132302-1
    TABLE n° 1
    1      FROMAGE        2,25 $
    1      ORANGEADE      2,50 $
    1      COLA           1,50 $
    1      FRITES         1,60 $

           SOUS-TOTAL     8,85 $
           TVQ            0,71 $
           TPS            0,62 $
           TOTAL         10,18 $

        TPS: 725211277RT
        TVQ: 4163075738

    Heure : 18:09        1 CLIENT

      UNE FRITERIE DE CHEZ NOUS!
      VOUS AVEZ ÉTÉ SERVI PAR :
             STÉPHANE
```

Erreurs : _____

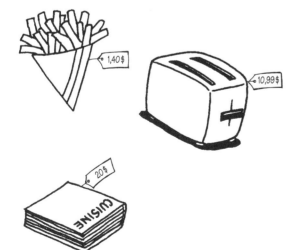

À la quincaillerie

```
            BIENVENUE
     MEILLEUR POINTE-CLAIRE

     GARDEZ CE REÇU POUR
         REMBOURSEMENT

    VENTE
    1      GRILLE-PAIN/2
           1@ 13,99 78010071  13,99
    1      CAFETIÈRE          53,97
           ÉLECTRIQUE
    1      LIVRE DE CUISINE   20,00
    SOMME PARTIELLE           15,93
         7% TPS                1,12
    QUÉBEC 7,5% TVQ            1,28
    TOTAL                    112,00
    POINT ORD. :              1600
    POINTS PRIMES                0
    TOTAL POINTS DU JOUR      1600
    POINTS À CE JOUR        137000

      MERCI DE MAGASINER CHEZ
             MEILLEUR!
```

Erreurs : _____

Objectif grammatical
Le discours indirect au présent :
alors, *parce que*, *à cause de...*,
si + *présent* + *présent*

Objectifs de communication
Rapporter les paroles de quelqu'un.
Raconter une histoire.

Dehors !

A. Regardez la bande dessinée. Imaginez ce que les patrons disent à l'employé
et ce que celui-ci répond. Travaillez en équipes.

© Quino/Éditions Glénat

B. Référez-vous à la bande dessinée de la page précédente. Complétez les phrases en discours indirect.

Exemple   Ils lui demandent quand il va quitter le bureau.

Ils lui demandent _____ .

Ils lui demandent _____ .

Ils lui demandent _____ .

Ils disent _____ .

Ils prétendent _____ .

Ils lui proposent _____ .

Ils lui annoncent _____ .

Ils répètent _____ .

Le patron dit _____ .

Il affirme _____ .

Il lui demande _____ .

Le patron veut savoir _____ .

L'employé explique _____ .

Il dit _____ .

Il demande _____ .

Il ne sait pas _____ .

Il se demande _____ .

C. Regardez l'image de nouveau. Formulez des phrases à l'aide des mots suivants.

mais – alors – parce que – à cause de… – si + présent + présent

_____

_____

_____

_____

_____

_____

_____

_____

_____

_____

_____

9 | Objectif grammatical
Le discours indirect au présent

Objectif de communication
Rapporter les paroles de quelqu'un.

Entre deux portes

A. Vous êtes au bureau et vous entendez une conversation qui a lieu juste à côté de votre poste de travail. Comme vous avez une belle complicité avec une collègue, vous lui rapportez la conversation par téléphone. Jouez le dialogue avec un ou une partenaire.

Exemple Catherine demande à Isidore s'il quitte son travail.
Isidore lui dit qu'il part dans deux semaines.

1. – Elle **lui demande**…
– Il **dit que**…
– Elle **lui demande**…

2. – Elle **lui** demande…
   – Il…
   – Elle…
   – Il…

3. – Elle…
   – Il…
   – Elle…
   – Il…
   – Elle…
   – Il…

B. À l'atelier du sculpteur

Complétez les dialogues suivants en utilisant le discours indirect.

> Exemple
> – Vous êtes prêt ?
> – Pardon ?
> – Je vous demande si vous êtes prêt !

1. Êtes-vous disponible la semaine prochaine ?

Pouvez-vous répéter ? Je n'entends pas bien.

_____

2. Le vernissage a lieu vendredi, à 18 heures.

Encore une fois, s'il vous plaît ?

_____

3. Pouvez-vous préparer une petite biographie qui parle de votre carrière ?

Vous dites ?

_____

4. Avez-vous des assurances pour les sculptures ?

Excusez-moi. J'ai un problème de téléphone.

_____

5. Avez-vous des invitations à faire ?

Pardon ?

_____

6. Pouvez-vous apporter vos œuvres jeudi ?

Répétez la question, s'il vous plaît.

_____

7. À quelle heure pouvez-vous être là ?

Je n'entends rien !

_____

8. Qui va placer les sculptures ?

Comment ?

_____

9. Nous allons servir du vin et du fromage.

Je n'ai pas compris.

_____

10. Avez-vous une préférence pour un type de vin ?

Pardon ?

_____

Tableau 1

Exemple **Quel est** *le prix de la radio portable ?*	**Combien** *coûte la radio portable ?*	*La radio portable, elle coûte* **combien** *?*
1.	Combien coûte ce manteau ?	
2.		Ce vélo de montagne, il coûte combien ?
3.	Combien coûte ce téléphone ?	
4.		Ces souliers, ils coûtent combien ?
5.	Combien coûte ce livre de cuisine ?	
6. Quel est le prix de ce jeu ?		
7. Quel est le prix de cette maison ?		
8.		Le billet, il coûte combien ?
9. Quel est le prix de ce téléviseur ?		
10.	Combien coûte ce CD ?	

Tableau 2

Exemple *Avez-vous des enfants ?*	**Combien** ?	**Combien** *d'enfants avez-vous ?*	*Vous avez* **combien** *d'enfants ?*
1. Voulez-vous des oranges ?	Combien ?		Vous voulez combien d'oranges ?
2. Prenez-vous des œufs ?	Combien ?	Combien d'œufs prenez-vous ?	
3.	Combien ?	Combien de journaux lisez-vous ?	Vous lisez combien de journaux ?
4. Travaillez-vous plusieurs heures ?	Combien ?		Vous travaillez combien d'heures ?
5. Avez-vous des amis ?		Combien d'amis avez-vous ?	
6. Vous regardez la télé ?	Combien d'heures par jour ?		
7. Tu as des disques de musique classique ?	Combien ?		
8. Vous allez souvent au cinéma ?	Combien de fois par mois ?		
9. Vous mangez adéquatement ?	Combien de fois par jour ?		
10. Tu prends des vacances tous les ans ?	Combien de fois par année ?		

L'interrogation partielle :
À quelle heure ? Quand ?
Où ? À quoi ? Avec qui ?

Tableau 3

A.

Exemple *Vous allez au cinéma ?*	*Avec qui ?*	**Avec qui** *allez-vous au cinéma ?*	*Vous allez au cinéma* **avec qui** *?*
1. Tu regardes les nouvelles ?	À quelle heure ?		
2. Vous achetez des cadeaux de Noël ?	Pour qui ?		
3. Tu vas chez des amis ce soir ?	Chez qui ?		
4. Tu te promènes souvent ?	Avec qui ?		
5. Vous habitez à Vancouver ?	Dans quel quartier ?		
6. Vous travaillez à l'étranger ?	Avec quelle entreprise ?		
7. Tu sors ce soir ?	Avec qui ?		
8. Vous arrivez demain matin ?	À quelle heure ?		
9. Vous prenez le vol pour Ottawa ?	Quand ?		
10. Tu vas déménager bientôt ?	Où ?		
11. Vous allez au parc ?	Avec qui ?		
12. Tu veux peindre ta chambre ?	De quelle couleur ?		
13. Tu fais de la tarte aux pommes ?	Avec quels ingrédients ?		
14. Vous venez chez moi ce soir ?	À quelle heure ?		
15. Tu veux jouer ?	À quoi ?		

L'interrogation directe et indirecte

L'interrogation partielle :
À quelle heure ? Quand ?
Où ? À quoi ? Avec qui ?

Tableau 3 (*suite*)

B.

Exemples	*À quelle heure finissez-vous ?* *Où déjeunez-vous ?*	*Vous finissez à quelle heure ?* *Vous déjeunez où ?*	**À quelle heure est-ce que** *vous finissez ?* **Où est-ce que** *vous déjeunez ?*
1. Quand regardez-vous la télé ?			
2.	Vous commencez à travailler à quelle heure ?		
3.	Vous habitez avec qui ?		
4.			À quel endroit est-ce que vous faites du sport ?
5. À quel moment de la journée lisez-vous votre courrier ?			
6. Où laissez-vous votre voiture ?			
7.			Où est-ce que tu achètes ton pain ?
8.			Quand est-ce que tu prends des vacances ?
9. Où allez-vous en fin de semaine ?			
10.			À quel moment de la journée est-ce que vous arrosez vos plantes ?

Tableau d'entraînement   *L'interrogation partielle:*
Qu'est-ce que…?
Qui est-ce que…?

Tableau 4

Exemple *Qu'est-ce que vous prenez ?*	*Que prenez-vous ?*	*Vous prenez quoi ?*
1. Qui est-ce que tu invites ?		
2.	Qu'écoutez-vous ?	Vous écoutez quoi ?
3. Qu'est-ce que tu fais ?		
4.	Qui appelez-vous ?	
5.	Que prépares-tu ?	
6. Qu'est-ce que vous réparez ?		
7.		Tu attends qui ?
8.	Que regardes-tu ?	
9. Qu'est-ce que vous buvez ?		
10. Qui est-ce que vous voyez ce soir ?		

Tableau d'entraînement   *L'interrogation totale :*
Est-ce que... ?
Inversion

Tableau 5

Exemple **Est-ce que tu laisses** *la lumière allumée, la nuit ?*	**Laisses-tu** *la lumière allumée, la nuit ?*
1. Est-ce que vous demeurez à Montréal ?	
2.	Écoutez-vous de la musique classique ?
3. Est-ce que tu lis des romans classiques ?	
4. Est-ce que vous faites du sport ?	
5.	Avez-vous le temps de sortir ?
6.	Aimes-tu danser ?
7. Est-ce que vous dormez au moins huit heures par nuit ?	
8.	Achètes-tu souvent des fleurs ?
9. Est-ce que vous aimez la cuisine thaïlandaise ?	
10.	Dors-tu avec la fenêtre ouverte ?
11.	Vendez-vous votre vélo ?
12. Est-ce que tu voyages souvent ?	

Tableau 6

Exemple *Tu ne viens pas ?*	*Tu viens ?*	*Viens-tu ?*
1. Vous ne sortez pas ?		
2.	Vous restez ?	
3.		Te rappelles-tu ?
4.	Tu demeures seul ?	
5. Tu n'écoutes pas ?		
6.	Vous comprenez ?	
7. Vous ne mangez pas aujourd'hui ?		
8.		Déjeunez-vous avec nous ?
9. Tu ne fermes pas la fenêtre ?		
10.		Prenez-vous ce vol ?
11. Vous n'entrez pas ?		
12.	Vous attendez les invités ?	

Tableau 7

Anastasia pose les questions.

Exemple *Tu fais du ski*, Philip ?	*Elle lui demande **s'il fait du ski**.*
1. Est-ce que tu aimes l'art moderne, Mélanie ?	
2. Faites-vous de la course à pied, madame Dion ?	
3.	Elle lui demande si elle aime faire du sport.
4.	Elle veut savoir s'il fait beau.
5. Hassan, tu marches tous les jours ?	
6. Est-ce que vous êtes marié, monsieur Delorme ?	
7. Madame Blanchet, avez-vous une maison avec piscine ?	
8.	Elle lui demande si la musique n'est pas trop forte.
9. Prenez-vous des vacances pendant l'hiver, Neil ?	
10. Pratiques-tu un sport d'hiver, Florence ?	
11.	Elle veut savoir si le café est assez chaud.
12. Monsieur Miranda, vous sortez ?	

Tableau 8

Marvin pose les questions.

Exemple *Céline, l'avion **arrive à quelle heure** ?*	*Il lui demande **à quelle heure arrive l'avion**.*
1. Alain, pourquoi tu n'es pas avec Jean-Michel ?	
2. Avec qui est-ce que tu sors ce soir, Van-nah ?	
3.	Il lui demande combien coûte la cravate.
4. Où habitez-vous, monsieur Maudet ?	
5.	Il veut savoir quand il fait la sieste.
6.	Il lui demande à quelle heure il dîne.
7. Tania, ils demeurent où ?	
8. Comment tu prépares ce gâteau, Frédéric ?	
9.	Il lui demande où il va.
10. Tu préfères quelle musique, Maurice ?	
11. Betty, quand est-ce que tu fais du sport ?	
12. Avec qui préférez-vous voyager, madame Mathews ?	

Tableau 9

Charles pose les questions.

Exemple *Qu'est-ce que vous portez ?*	*Il lui demande ce qu'elle porte.*
1. Que fais-tu, Mathilde ?	
2. Bob, qu'est-ce que tu prends ?	
3. Qu'attendez-vous, monsieur Bennett ?	
4.	Il veut savoir ce qu'ils veulent.
5.	Il lui demande ce qu'elles font dimanche.
6. Madame Hachem, qu'avez-vous ?	
7. Qu'est-ce que tu manges, Adam ?	
8.	Il lui demande ce qu'il regarde.
9. Qu'est-ce que vous préférez ?	
10.	Il lui demande ce qu'elle va acheter.
11. Que préfères-tu ?	
12.	Il lui demande ce qu'il écoute.
13.	Il lui demande ce qu'elle répond.
14. Qu'est-ce que vous mettez ?	
15. Que commandez-vous ?	

5 Les expressions de temps et d'espace

Sommaire

Tableau grammatical

Les expressions de localisation dans l'espace

1. Sans préposition (à ou de)

	Exemples			Exemples	
devant	**devant** la caisse		dans	**dans** la boîte	
derrière	**derrière** l'arbre		contre	**contre** la porte	
sur	**sur** le comptoir				
			entre	**entre** la porte et la moustiquaire	
sous	**sous** la table				

2. Avec la préposition *de*

à gauche de

à côté de

à droite de

près de

loin de

en haut de   **en haut du** mur

en bas de   **en bas de** la grille

au milieu de   **au milieu de** la pièce

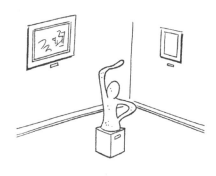

au nord de

au sud de

à l'ouest de

à l'est de

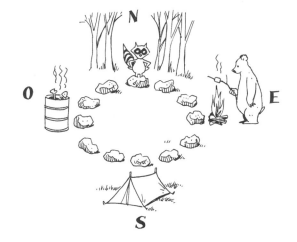

    Les expressions de temps et d'espace **157**

3. Les prépositions utilisées seules (sans nom)

Exemples	Exemples
dedans	dessus
dehors	dessous

4. à et de

Direction	Exemples
à + ville	Je vais **à Québec**.
en + pays féminin ou continent	J'habite **en Amérique**.
au + pays masculin	Je passe mes vacances **au Mexique**.
aux + pays pluriel	J'ai des amis aux **États-Unis**.

Provenance	Exemples
de + ville	J'arrive **de Québec**.
du + pays masculin	Ces jouets viennent **du Vietnam**.
de + pays féminin ou continent	Les vols en provenance **de Colombie** sont suspendus.
des + pays pluriel	Les importations **des Philippines** ont augmenté.

Objectif grammatical
Les expressions de localisation
et d'orientation dans l'espace

Objectif de communication
Indiquer l'emplacement exact d'un objet.

Où sont les livres?

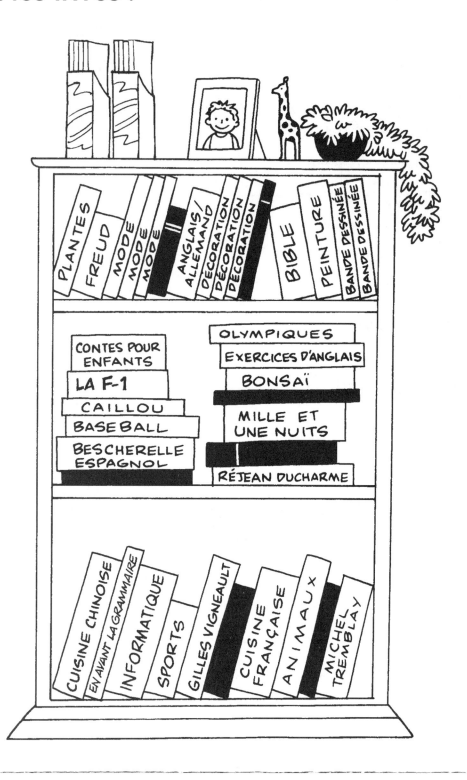

A. Regardez l'image de la page précédente. En équipes, posez les questions ci-dessous
et répondez-y en signalant l'emplacement des livres. Utilisez les expressions de l'encadré.

> sur la troisième tablette – à droite – à gauche – sur la première tablette –
> en haut, à côté du livre de F1 – en dessous – au-dessus – en bas de la pile – du côté droit –
> du côté gauche – dans la pile de droite – sur la tablette du milieu

Exemple   Où est le livre sur les sports ?
Sur la troisième tablette, à côté du manuel d'informatique.

1. Où sont les livres pour enfants ?

2. As-tu des romans policiers ?

3. Où sont les magazines de décoration ?

4. Où est le livre de cuisine chinoise ?

5. Où est le cahier d'exercices d'anglais ?

6. Tu as un dictionnaire anglais-allemand ?

7. As-tu des magazines de mode ?

8. Où est ton manuel d'informatique ?

9. As-tu des bandes dessinées ?

10. J'aimerais lire le livre de poèmes de Gilles Vigneault.

11. As-tu une pièce de théâtre de Michel Tremblay ?

12. Où est le nouveau Bescherelle espagnol ?

13. J'aimerais lire quelque chose de Réjean Ducharme…

14. As-tu les *Mille et Une Nuits* ?

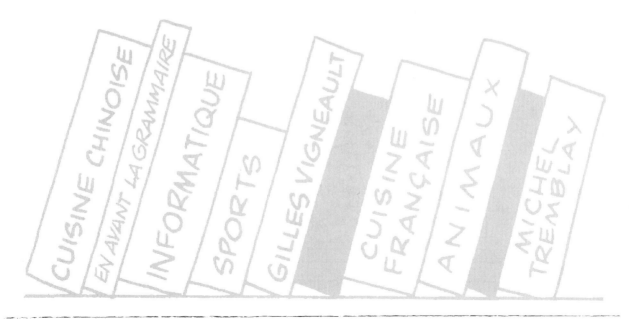

Objectif grammatical
Les expressions de localisation dans l'espace

Objectif de communication
Indiquer l'emplacement exact d'un objet.

La scène du crime

A. Vous êtes policier ou policière. Parlez à votre chef pour lui décrire la scène d'un crime. Dites-lui ce que vous voyez dans la pièce.

B. Rédigez un rapport de police. Indiquez où se trouvent les objets que vous voyez dans l'image de la page précédente. Utilisez les mots de l'encadré et écrivez deux réponses sous chacun des objets. Inspirez-vous de l'exemple.

> sur – derrière – par terre – près de – loin de – contre – devant – au milieu de – dans – à côté de – sous

Exemple

1. le bureau

- *contre le mur*
- *près de la fenêtre*

2. la clé

- _____
- _____

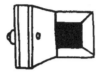

3. le coffre-fort

- _____
- _____

4. les coussins

- _____
- _____

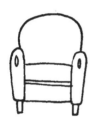

5. le fauteuil

- _____
- _____

6. le masque africain

- _____
- _____

7. la plante

- _____
- _____

8. la causeuse

- _____
- _____

9. le vase

- _____
- _____

10. l'abat-jour

- _____
- _____

C. Poursuivez l'identification des objets de la pièce. Dans la colonne de droite, trouvez les objets qui correspondent aux illustrations, puis écrivez vos réponses en dessous de chaque illustration dans l'espace prévu. Par la suite, indiquez où se trouve cet objet (deux réponses), en vous inspirant de l'exemple.

Exemple

1. *Les cadres* _____

   • *contre le mur* _____

   • *près de l'étagère* _____

2. _____

   • _____

   • _____

3. _____

   • _____

   • _____

4. _____

   • _____

   • _____

La table basse
La statuette
Les livres
Le parapluie
Les lunettes
La chaise
Les cadres
Le plat à bonbons
Le couteau
Le stylo
La note
Le téléphone cellulaire
La tache
La fenêtre

5. _____
   • _____
   • _____

6. _____
   • _____
   • _____

7. _____
   • _____
   • _____

8. _____
   • _____
   • _____

9. _____
   • _____
   • _____

10. _____
   • _____
   • _____

SALUT

11. _____
   • _____
   • _____

12. _____
   • _____
   • _____

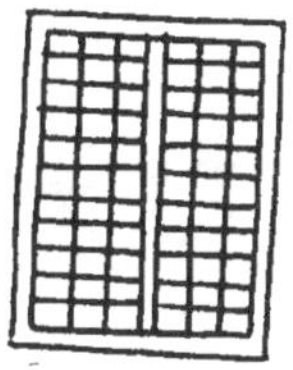

13. _____
   • _____
   • _____

14. _____
   • _____
   • _____

3

Objectif grammatical
Les expressions de localisation dans l'espace

Objectif de communication
Indiquer l'emplacement d'un endroit
à l'aide d'un plan.

À Québec

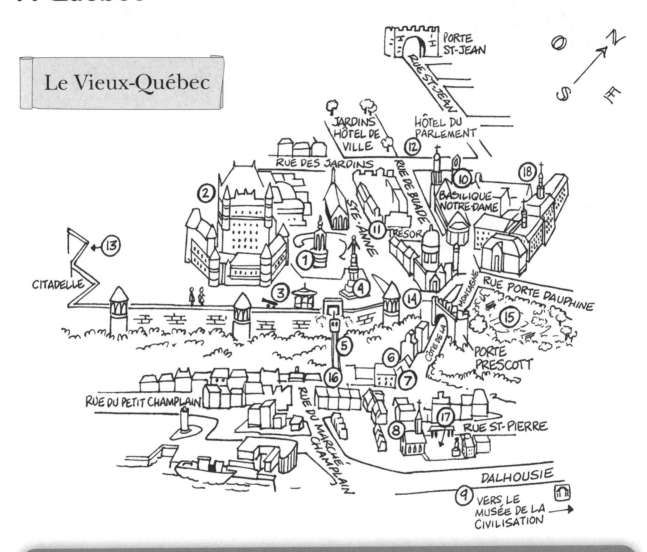

Le Vieux-Québec

LÉGENDE

1. Place d'Armes
2. Château Frontenac
3. Terrasse Dufferin
4. Monument de Champlain
5. Funiculaire
6. Escalier casse-cou
7. Quartier Petit-Champlain
8. Église Notre-Dame-des-Victoires
9. Vieux-Port de Québec
10. Basilique Notre-Dame
11. Rue du Trésor
12. Hôtel du Parlement
13. Promenade des Gouverneurs
14. Escalier Frontenac
15. Parc Montmorency
16. Maison Louis-Jolliet
17. Place Royale
18. Séminaire de Québec

Les expressions de temps et d'espace

A. En vous référant au plan de la ville de Québec de la page précédente, remplissez les blancs à l'aide des expressions de l'encadré.

> à droite – sur – près – entre – à côté – derrière – en bas – en face – devant – au milieu

C'est un hôtel de luxe et un symbole de la ville de Québec. _____, en sortant, on arrive à la terrasse Dufferin.

1. Le château Frontenac

C'est une promenade. Le monument de Champlain* se trouve _____ la terrasse Dufferin, tout _____ de l'escalier Frontenac.

2. Terrasse Dufferin

C'est la rue des artistes, _____ les rues Sainte-Anne et de Buade.

3. La rue du Trésor

On peut prendre le funiculaire pour aller de la Basse-Ville à la Haute-Ville. Il y a une entrée en haut, _____ du monument de Champlain. La seconde entrée se trouve _____, dans la maison Louis-Jolliet.

4. Le funiculaire

* Fondateur de la ville de Québec en 1608.

Il date de 1663. Il se trouve _____
la basilique Notre-Dame, _____
du parc Montmorency.

5. Le Séminaire de Québec

Elle se situe _____ le château Frontenac.
_____ de la place d'Armes, on voit le monument
de la Foi.

6. La place d'Armes

B. Remplissez les blancs. Choisissez les verbes appropriés dans l'encadré, puis conjuguez-les au présent ou à l'impératif, selon le cas, comme dans l'exemple. Vous pouvez utiliser un même verbe deux ou trois fois.

> voir – prendre – continuer – admirer – traverser – avoir – descendre – entrer – suivre –
> aller – tourner – être – regarder

Circuit 1	**Durée : 2 heures**

Ce circuit débute au château Frontenac. *Traversez* la rue et (1) _____ la place d'Armes. (2) _____ à gauche et (3) _____ la rue Saint-Anne jusqu'à la rue des Jardins. Devant vous, vous (4) _____ les jardins de l'Hôtel de Ville.

(5) _____ la rue des Jardins à droite et (6) _____ jusqu'à la rue de Buade. (7) _____ à droite. Là, vous (8) _____ la basilique Notre-Dame et, un peu plus loin derrière, le Séminaire de Québec. (9) _____ la rue de Buade jusqu'à la rue du Trésor et tournez à droite. Vous (10) _____ de nouveau sur la place d'Armes.

(11) _____ à gauche et (12) _____ l'escalier Frontenac.
(13) _____ vers la Basse-Ville. Vous (14) _____ maintenant sur la côte de la Montagne, à la porte Prescott. Vous (15) _____ visiter la Basse-Ville.
(16) _____ la côte de la Montagne jusqu'à la rue Saint-Pierre et (17) _____ la place Royale. Devant vous, vous voyez l'église Notre-Dame des Victoires. (18) _____ -y et visitez-la. Puis, (19) _____ jusqu'à la rue Dalhousie et (20)_____ le fleuve.

C. À vous maintenant d'écrire votre propre circuit touristique du Vieux-Québec. N'oubliez pas d'y insérer les points d'intérêt qui figurent dans l'encadré.

> Basse-Ville – funiculaire – terrasse Dufferin – visite du château Frontenac –
> promenade des Gouverneurs – Citadelle – porte Saint-Louis

Circuit 2

Ce circuit commence dans la Basse-Ville. _____

_____

_____

_____

_____

_____

_____

_____

_____

_____

_____

_____

_____

_____

_____

_____

_____

_____

D. Un touriste en visite à Québec se trouve sur la terrasse Dufferin. Il demande à un passant les indications pour aller aux endroits suivants. À deux, jouez la scène entre le touriste et le passant.

1. La terrasse Dufferin

2. La place Royale

3. Le Musée de la Civilisation

4

Objectif grammatical
Les expressions de localisation dans l'espace :
les prépositions **à**, **en**, **aux**

Objectif de communication
Indiquer l'emplacement d'une ville,
d'une région à l'aide d'une carte géographique.

Un peu de géographie

A. Savez-vous ?

Regardez la carte de l'Amérique du Nord, puis répondez aux questions.

Exemple   Où se trouve Philadelphie ?   **En** Pennsylvanie, **aux** États-Unis.

1. Où se trouve Calgary ?

2. Où se trouve la ville de New York ?

3. Où se trouve la ville de Régina ?

4. Où se trouve la ville d'Acapulco ?

5. Où se trouve Cuba ?

6. Où se trouvent les Rocheuses ?

7. Où se trouve le fleuve Saint-Laurent ?

8. Où est située la ville de Victoria ?

9. Et la ville de Toronto ?

10. Où se trouve la baie James ?

11. Où est situé le Yukon ?

12. Où se trouve le lac Champlain ?

B. Regardez la carte économique de l'Amérique du Nord, puis remplissez le tableau de la page suivante.

Exemple   Il y a du saumon en Colombie-Britannique.

Produits et industries	Régions
Il y a...	
• des pommes	• _____
• une industrie automobile	• _____
• du bois	• _____
• des oranges	• _____
• du vin	• _____
• une centrale hydroélectrique	• _____
• du poisson	• _____
• des céréales	• _____
• du pétrole	• _____
• de belles plages	• _____
• du sucre	• _____
• du sirop d'érable	• _____
• une grande industrie du spectacle	• _____
• de grandes réserves d'eau	• _____

Objectif grammatical
Les expressions de localisation dans l'espace :
nord, *sud*, *est*, *ouest*, *près de*, *loin de*,
à côté de, *en dessous de*, *le long de*

Objectif de communication
Interpréter des consignes concernant
des indications géographiques.

Où suis-je ? Où vais-je ?

A. Lisez le texte.

> La course d'orientation est une épreuve individuelle contre la montre. Les coureurs décident du chemin à prendre à l'aide d'une boussole et d'une carte détaillée. Sur le terrain, des balises indiquent les points de contrôle et les étapes. Chaque fois qu'un coureur passe par un de ces points, il poinçonne sa carte de contrôle, ce qui constitue la preuve de son passage. Pour gagner, il faut courir vite et savoir bien s'orienter afin de choisir le meilleur itinéraire entre deux balises. Les courses ont toujours lieu en pleine nature, ce qui permet aux participants d'explorer un environnement et des paysages inconnus. La course d'orientation est un sport intéressant et bon marché, accessible aux familles. Elle permet également de vivre des moments uniques de découvertes.

B. Selon le texte, répondez aux questions par vrai ou faux.

	Vrai	Faux
1. La course d'orientation est un sport d'équipe.	❏	❏
2. Les coureurs doivent courir le plus rapidement possible.	❏	❏
3. La course d'orientation est un sport assez cher.	❏	❏
4. Les coureurs découvrent des paysages.	❏	❏
5. Une boussole est un outil indispensable.	❏	❏
6. Ce sport peut être pratiqué en famille.	❏	❏
7. Il y a une balise à chaque étape.	❏	❏
8. Les courses d'orientation se passent généralement en ville.	❏	❏

C. D'après les informations ci-dessous, placez les lettres du début de chaque dialogue au bon endroit sur le plan. Travaillez en équipes. L'équipe qui dispose le plus rapidement toutes les lettres au bon endroit remporte la victoire.

Exemple   **A** **Alejandro – Bon, nous sommes à la première étape. Le chemin n'est pas trop loin. La balise se trouve entre la plage et le chemin, au nord du bois, après le pont.**

B Hector — Selon la carte, la balise de la deuxième étape se situe dans le bois, entre deux gros arbres.

C Alejandro — La balise de la troisième étape se trouve au nord, du côté est du chemin, derrière une habitation, une maison peut-être, la plus au nord, le long de la rivière, du côté nord.

D Hector — Bien, maintenant, la quatrième étape. C'est facile, la balise est en dessous d'un pont. Le pont traverse peut-être le lac, du côté nord-est.

E Alejandro — À côté du pont, il y a une plage, du côté nord-ouest. Et, selon les indications, la balise de la cinquième étape se trouve sur la plage, juste avant le terrain de camping.

F Hector — C'est fait. La balise de la sixième étape maintenant. Elle est derrière une cabane, à l'entrée du bois. C'est du côté sud.

G Alejandro — Parfait. Vite, au nord, puis vers l'est. Il faut longer un peu le lac. C'est sur la route, là où le bois finit.

H Hector — La dernière, c'est près de la chapelle, juste devant la porte du côté ouest.

6

Objectifs grammaticaux
Les expressions de localisation dans l'espace :
à droite, **à gauche**, **devant**, **tout droit**,
en haut, **en bas**, **à côté**
Les adjectifs ordinaux

Objectif de communication
Indiquer le chemin.

Au théâtre

A. Regardez le plan de la salle. Plusieurs personnes attendent pour y entrer, leur billet à la main. L'ouvreuse ou l'ouvreur les accompagnent jusqu'à leur siège. Jouez le rôle de l'ouvreur ou de l'ouvreuse. Utilisez les expressions de l'encadré de la page suivante, en vous inspirant de l'exemple.

Exemple   Gertrude (queue de droite) : Billet E2.
Ouvreur : À votre droite, madame, deuxième rangée, quatrième fauteuil.
Passez une excellente soirée.

- La première, deuxième, troisième, quatrième rangée à votre droite, à votre gauche
- Premier, deuxième… siège
- Ici, à droite, à gauche
- Avant la colonne
- Après la colonne
- Juste à côté de la colonne
- Au milieu de la salle
- Le couloir à gauche, à droite
- Ce n'est pas ici, c'est en haut, par l'escalier, à votre gauche, à votre droite

- Passez une belle soirée.
- Bon spectacle !
- Excellente soirée !

---

13 septembre 2007
20h

LE THÉÂTRE DU RIDEAU D'OR
présente
Les Belles-filles
de Michel Tardif

NIVEAU : 1
RANGÉE : A
SIÈGE : 1

jeudi, 13 septembre 2007, 20h
$45.00 + $2.50 = $47.50 TAXES INCL.

Niv. : 1
Rangée : A
SIÈGE : 1

Frédéric : Billet A1.

Ouvreuse : _____.

---

13 septembre 2007
20h

LE THÉÂTRE DU RIDEAU D'OR
présente
Les Belles-filles
de Michel Tardif

NIVEAU : 1
RANGÉE : F
SIÈGE : 4

jeudi, 13 septembre 2007, 20h
$45.00 + $2.50 = $47.50 TAXES INCL.

Niv. : 1
Rangée : F
SIÈGE : 4

Thomas : Billet F4.

Ouvreuse : _____.

---

13 septembre 2007
20h

LE THÉÂTRE DU RIDEAU D'OR
présente
Les Belles-filles
de Michel Tardif

NIVEAU : 1
RANGÉE : A
SIÈGE : 3

jeudi, 13 septembre 2007, 20h
$45.00 + $2.50 = $47.50 TAXES INCL.

Niv. : 1
Rangée : A
SIÈGE : 3

Anton : Billet A3.

Ouvreuse : _____.

---

13 septembre 2007
20h

LE THÉÂTRE DU RIDEAU D'OR
présente
Les Belles-filles
de Michel Tardif

NIVEAU : 1
RANGÉE : D
SIÈGE : 2

jeudi, 13 septembre 2007, 20h
$45.00 + $2.50 = $47.50 TAXES INCL.

Niv. : 1
Rangée : D
SIÈGE : 2

Amparo : Billet D2.

Ouvreuse : _____.

---

13 septembre 2007
20h

LE THÉÂTRE DU RIDEAU D'OR
présente
Les Belles-filles
de Michel Tardif

NIVEAU : balcon
RANGÉE : —
SIÈGE : 89

jeudi, 13 septembre 2007, 20h
$45.00 + $2.50 = $47.50 TAXES INCL.

Niv. : balcon
Rangée : —
SIÈGE : 89

Agnès : Billet balcon 89.

Ouvreuse : _____.

---

13 septembre 2007
20h

LE THÉÂTRE DU RIDEAU D'OR
présente
Les Belles-filles
de Michel Tardif

NIVEAU : 1
RANGÉE : C
SIÈGE : 2

jeudi, 13 septembre 2007, 20h
$45.00 + $2.50 = $47.50 TAXES INCL.

Niv. : 1
Rangée : C
SIÈGE : 2

Roy : Billet C2.

Ouvreuse : _____.

---

13 septembre 2007
20h

LE THÉÂTRE DU RIDEAU D'OR
présente
Les Belles-filles
de Michel Tardif

NIVEAU : 1
RANGÉE : C
SIÈGE : 7

jeudi, 13 septembre 2007, 20h
$45.00 + $2.50 = $47.50 TAXES INCL.

Niv. : 1
Rangée : C
SIÈGE : 7

Lili : Billet C7.

Ouvreuse : _____.

---

13 septembre 2007
20h

LE THÉÂTRE DU RIDEAU D'OR
présente
Les Belles-filles
de Michel Tardif

NIVEAU : balcon
RANGÉE : —
SIÈGE : 34

jeudi, 13 septembre 2007, 20h
$45.00 + $2.50 = $47.50 TAXES INCL.

Niv. : balcon
Rangée : —
SIÈGE : 34

Amanda : Billet balcon 34.

Ouvreuse : _____.

Tableau 1

Exemple *Où sont les passagers ?*	*Dans le train.*
1. Où est le stationnement de ce magasin ?	
2. Où est la bouteille d'eau minérale ?	
3. Où est le manteau ?	
4. Où est le chat ?	
5. Où les enfants jouent-ils ?	
6. Où est le livre de cuisine ?	
7. Où sont mes skis ?	
8. Où passe ce film ?	
9. Il fait chaud. Où est-ce qu'on va ?	
10. Où sont les fleurs ?	
11. Où est-ce que je peux trouver ce pain ?	
12. Où vas-tu ce soir ?	
13. Où se trouve ce restaurant ?	
14. Où sont mes lunettes ?	
15. Où travailles-tu ce matin ?	

Derrière le magasin.

À la boulangerie Cartier.

Au cinéma.

À l'école.

Dans le tiroir.

Sur la table.

Sur la Grande-Allée.

Dans l'avion.

Sur le tapis.

Dans l'armoire.

À la piscine.

Dans l'eau.

Sous le lit.

Dans le train.

Dans la cabine.

Tableau 2

Exemple *On peut acheter un billet d'avion…*	*à l'agence de voyages.*
1. On achète des fleurs	
2. On achète du pain	
3. On peut voir un médecin	
4. On peut voir des films	
5. On peut acheter des vis	
6. On peut acheter des disques	
7. On peut emprunter des livres	
8. On peut regarder un match de baseball	
9. On peut faire réparer ses souliers	
10. On achète de la viande	
11. On se fait couper les cheveux	
12. On achète des médicaments	
13. On peut acheter du sucre	
14. On peut promener le chien	
15. On peut envoyer un colis	

au comptoir postal.

chez le cordonnier.

au stade.

à la boucherie.

à la pharmacie.

chez le fleuriste.

à l'hôpital.

au supermarché.

à l'agence de voyages.

à la boulangerie.

au parc.

chez le disquaire.

au cinéma.

à la quincaillerie.

à la bibliothèque.

chez le coiffeur.

Tableau 3

Exemple *J'aime **le** Texas.*	*Je vais **au** Texas. Je vais **à** Dallas.*
1. J'adore la Colombie-Britannique.	Je vais _____ Colombie-Britannique cet été, _____ Victoria.
2. J'aime bien _____ Floride.	Je vais en Floride cet hiver, _____ Pompano Beach.
3. J'aime le Maroc.	Nous allons _____ Maroc en vacances, _____ Tanger.
4. J'adore les États-Unis.	On va _____ États-Unis bientôt, _____ New York et _____ Boston.
5. J'aime bien Chicago.	Je vais _____ Chicago en vacances.
6. J'adore _____ Asie.	Bientôt, je vais en Asie, _____ Chine et _____ Japon.
7. J'aime _____ Îles Vierges.	On va aux Îles Vierges cet été.
8. J'aime bien l'Ontario.	Je vais bientôt _____ Toronto.
9. J'aime bien l'Alberta.	Je vais passer l'été _____ Alberta, _____ Calgary.
10. J'adore la Jamaïque.	Je vais faire un voyage _____ Jamaïque.
11. J'adore le Grand Nord québécois.	Cet été, je vais aller _____ Nunavik.
12. J'aime beaucoup _____ Californie.	Je vais aller _____ Californie bientôt.

Tableau 4

Exemple		*L'hélicoptère se trouve (sur), sous, dans le toit.*
1.		Le collier est **sous**, **dans**, **près de** la boîte.
2.		Le téléphone se trouve **sur**, **contre**, **dans** la table.
3.		Le masque est **sur**, **dans**, **entre** le mur du salon.
4.		La voiture se trouve **dans**, **devant**, **en face** de la maison.
5.		La pile de journaux est **dans**, **sur**, **sous** la table.

Tableau 4 (*suite*)

6.	Le vélo se trouve **derrière**, **devant**, **sur** le banc.
7.	Les lunettes sont **devant**, **dans**, **sous** le lit.
8.	La fontaine est **derrière**, **devant**, **au milieu** du jardin.
9.	L'autobus est **devant**, **près de**, **loin de** l'arrêt.
10.	Le paquet de biscuits se trouve **à côté**, **dans**, **sur** l'armoire.

Les expressions de temps

Sommaire

Tableau grammatical

Les expressions de temps

1. Antériorité

	Exemples
Avant + événement	**Avant le souper**, on se lave les mains.
Avant de + infinitif	**Avant de sortir**, on ferme la fenêtre.

2. Simultanéité

	Exemple
Pendant	**Pendant** les vacances, on prend du soleil.

3. Postériorité

	Exemple
Après + événement	**Après le cinéma**, on va au resto.

4. Encore (pas encore)/déjà

Exemples
Je suis **encore** jeune (je **ne** suis **pas encore vieille**). Je suis **déjà** vieille…

5. Encore/plus

Exemples
J'ai **encore** ma voiture bleue. Je **n'**ai **plus** ma voiture bleue.

6. Quand

Exemple
Quand j'ai du travail, je ne sors pas.

7. Futur

	Exemple
Dans	**Dans** deux semaines, je pars faire du ski.

8. Chronologie

	Exemples
À… heures	**À 8 heures**, elle va au bureau.
En 20…	**En 2004**, il rencontre son partenaire d'affaires.
Le… mois + année	**Le 14 juillet 1989**, elle s'envole pour Paris.
Le jour de (du, des, de la)	**Le jour du** vol, il se lève à 8 heures.
À l'âge de…	**À l'âge de** six ans, il commence à chanter.
Quelques minutes/heures/jours/semaines/mois/années plus tard	**Quelques minutes plus tard**, il appelle un taxi.
Après cela	**Après cela**, il va à l'aéroport.
Ensuite	**Ensuite**, il enregistre ses bagages.
Puis	**Puis**, il passe le contrôle de sécurité.
Enfin (finalement)	**Enfin (finalement)**, il embarque dans l'avion.

9. Depuis + *temps*/il y a (ça fait) + *temps* + que

Exemples
J'habite à Toronto **depuis** quatre mois. **Il y a (ça fait)** quatre mois que j'habite à Toronto.

10. De… à

Exemple
De 1983 à 1984, elle se prépare pour les Jeux olympiques.

1

Objectif grammatical
Les expressions de temps :
antériorité, postériorité, simultanéité

Objectifs de communication
Situer une action dans le temps.
Exprimer la simultanéité.

Ma journée

A. À quel moment faites-vous les actions suivantes ? Discutez-en en équipes.

- Avant le déjeuner
- Après le déjeuner
- Pendant le déjeuner
- Avant le souper
- Avant de sortir
- En arrivant à la maison
- Avant le souper
- Après le souper
- Avant d'arriver à la maison
- Le matin, avant de sortir
- Le soir, avant de me coucher
- Avant de m'habiller
- Pendant le souper
- Pendant la soirée

- Je fais mon lit.
- J'arrose mes plantes.
- Je ferme les rideaux.
- J'allume les lumières.
- J'ouvre la fenêtre de ma chambre.
- Je regarde les nouvelles.
- J'écoute le bulletin de météo.
- J'écoute de la musique.
- J'ouvre le courrier.
- Je réponds à mon courrier électronique.
- Je vérifie mes messages.
- Je range mes choses.
- Je prends mon café.
- Je sors la poubelle.

B. Lisez le sondage et répondez aux questions.

Prenez-vous le temps de vivre?

À l'époque des ordinateurs, des automobiles et de la pollution, prendre le temps de vivre n'est pas toujours facile. La vie moderne ne laisse pas beaucoup de place aux loisirs. Et vous, croyez-vous que vous prenez le temps de vivre? Pour le découvrir, répondez par oui ou par non à chacune des dix questions suivantes.

	Oui	Non
1. Quand vous commencez un travail, voulez-vous le finir vite?	❏	❏
2. Quand vous êtes fatigué, arrêtez-vous de travailler?	❏	❏
3. Avant le souper, prenez-vous le temps de décompresser?	❏	❏
4. Pendant le souper, faites-vous une autre activité?	❏	❏
5. Après le travail, prenez-vous le temps de faire une promenade?	❏	❏
6. Quand vous sortez du travail, regardez-vous les boutiques qui se trouvent sur votre chemin?	❏	❏
7. Quand vous avez une longue route à faire, faites-vous l'impossible pour respecter l'heure d'arrivée?	❏	❏
8. Avant une réunion importante, prenez-vous le temps de vous détendre?	❏	❏
9. Faites-vous une sieste après les repas?	❏	❏
10. Pendant une sortie avec des amis, regardez-vous votre montre continuellement?	❏	❏

Objectif grammatical
Les expressions de temps :
avant, **après**

Objectif de communication
Situer une action dans le temps, en
exprimant l'antériorité et la postériorité.

On fait ça quand ?

A. Noëlla attend son premier enfant. Toute la famille s'occupe des préparatifs.
Qu'est-ce que les parents doivent faire avant et après la naissance du bébé ?
Discutez-en en équipes, puis remplissez le tableau de la page 187.

1. Acheter des couches
2. Suivre un cours prénatal
3. Acheter un siège d'auto
   pour bébé
4. Amener le bébé chez le médecin
5. Acheter une poussette
6. Préparer la chambre du bébé
7. Acheter des jouets
8. Envoyer des cartes
   de remerciement

9. Inscrire le bébé au registre
   de l'état civil
10. Préparer la valise d'hôpital
11. Apprendre à préparer
    un biberon de lait maternisé
12. Téléphoner aux amis pour
    leur annoncer la bonne nouvelle
13. Inscrire le bébé sur une liste
    d'attente pour la garderie

Avant la naissance du bébé…	Après la naissance du bébé…
• _____	• _____
• _____	• _____
• _____	• _____
• _____	• _____
• _____	• _____
• _____	• _____
• _____	• _____

B. Petites manies avant l'examen

Christian et Diane vont passer un examen. Qu'arrive-t-il avant l'examen pour l'un et pour l'autre? Discutez-en en équipes.

Ce qui se passe avant l'examen	Christian	Diane
1. Il, elle prend café après café.	✓	✓
2. Il, elle relit ses notes de cours.		✓
3. Il, elle étudie plusieurs heures par jour.		✓
4. Il, elle est nerveux ou nerveuse.	✓	
5. Il, elle dort bien.	✓	
6. Il, elle va souvent à la toilette.	✓	✓
7. Il, elle sort manger au restaurant.	✓	
8. Il, elle ne dort pas bien.		✓
9. Il, elle va au cinéma.		✓
10. Il, elle mange du chocolat.	✓	
11. Il, elle fume une cigarette après l'autre.	✓	✓
12. Il, elle étudie toute la journée avant l'examen.	✓	
13. Il, elle va prendre un thé pour relaxer.		✓
14. Il, elle ne parle à personne.	✓	

C. Et vous ? Quelles petites manies avez-vous avant un examen ? Discutez-en avec un ou une partenaire.

Avant l'examen :

_____

_____

_____

_____

_____

Après l'examen :

_____

_____

_____

_____

_____

D. Quelles petites manies avez-vous avant un voyage ? Discutez-en avec un ou une partenaire.

Avant un voyage :

_____

_____

_____

_____

_____

Après un voyage :

_____

_____

_____

_____

_____

_____

3

Objectif grammatical
Les expressions de temps :
pendant, avant, après, de... à, en (année),
puis, finalement, plus tard, depuis, quand,
alors

Objectif de communication
Décrire un parcours professionnel.

Athlètes canadiens

A. Voici les biographies de Sylvie Fréchette et de Silken Laumann, deux athlètes canadiennes de haut niveau. Remplissez les blancs en utilisant les expressions de temps des encadrés.

Nage synchronisée

Sylvie Fréchette : force et courage

> en – quand – de... à – puis – avant

Sylvie Fréchette voit le jour _____ 1967, à Montréal, au Québec. Elle a trois ans _____ son père meurt. Sa mère prend donc en charge l'éducation de Sylvie et de son frère. _____ huit ans, Sylvie commence à pratiquer la nage synchronisée. _____ 1983 _____ 1992, elle est membre de l'équipe nationale de nage synchronisée. _____ 1991, elle remporte le championnat du monde. _____, _____ 1992, Sylvie doit affronter une tragédie. Une semaine _____ les Jeux olympiques de Barcelone, son fiancé se suicide. Mais Sylvie exécute une brillante performance et gagne une médaille.

Aviron

Silken Laumann : vaincre l'adversité

> à – en – de... à – puis – plus tard – alors – avant – pendant – après

Elle commence à pratiquer l'aviron _____ l'âge de 17 ans, avec sa sœur Danièle. Silken se joint à l'équipe nationale d'aviron _____ 1984 et gagne plusieurs médailles. _____ 1985 _____ 1987, elle arrête la compétition à cause de blessures au dos. _____, trois ans _____, elle remporte la médaille d'argent au championnat du monde, _____ 1990. Elle se prépare _____ pour les Jeux olympiques de Barcelone. Mais, quelques mois _____ les jeux, elle se blesse _____ un entraînement et est hospitalisée. Elle pense que sa carrière est terminée. _____ trois semaines à l'hôpital et cinq opérations, elle reprend l'entraînement et se présente à Barcelone où elle obtient une médaille de bronze.

B. Voici le parcours professionnel du couple Isabelle Brasseur et Lloyd Eisler, médaillés d'or en patinage artistique. Écrivez un court texte pour les présenter. Utilisez les expressions de temps de l'encadré.

depuis – de... à – en – puis – *x* temps plus tard

1988	Rencontre des deux patineurs
1988-1994	Carrière chez les amateurs
1990	Médaille d'or au championnat du monde de Prague
1992	Médaille de bronze aux Jeux olympiques d'Albertville
1994	Médaille d'or aux Jeux olympiques de Lillehammer
1994-présent	Professionnels

_____

_____

_____

_____

_____

_____

_____

_____

4

Objectif grammatical
Les expressions de temps :
encore, *déjà*, *toujours*, *plus*

Objectif de communication
Parler de soi.

Mafalda

A. Regardez cette bande dessinée. Remplissez ensuite les blancs à l'aide des expressions *déjà* ou *encore*.

© *Quino/Éditions Glénat*

La mère de Mafalda a _____ des rides. Elle voudrait paraître _____ jeune.

B. La mère de Mafalda est malheureuse. Que se dit-elle devant le miroir ? Complétez le texte suivant.

La mère de Mafalda

Je suis _____ grosse. À 40 ans,

j'ai _____ un gros ventre.

C'est terrible ! Je suis _____ vieille.

Mes enfants sont _____ jeunes,

et je dois _____ rester à la maison

pour eux. Je ne peux pas _____

aller travailler à l'extérieur. J'ai _____

des rides et des cheveux blancs, quelle horreur !

_____ dépassée, démodée, à 40 ans !

C. Avec un ou une partenaire, imaginez un dialogue entre Mafalda et sa mère. Mafalda donne des conseils à sa mère. Jouez la scène devant la classe.

D. La grand-mère de Mafalda a 75 ans. Voici comment elle se voit. Remplissez les blancs à l'aide des expressions *déjà*, *encore* ou *toujours*.

> **La grand-mère de Mafalda**

Je me sens _____ jeune et je fais _____ beaucoup

de choses. J'ai _____ 75 ans, mais je trouve la vie plus belle que jamais.

Je suis _____ de bonne humeur, et j'ai _____ le sourire.

E. Mafalda réfléchit. Complétez les bulles à l'aide des expressions *plus*, *encore*, *déjà* ou *toujours*.

1. Il n'y a _____ de portes de sortie. L'humanité est perdue.

4. Les vacances sont terminées, papa. Pourquoi tu penses _____ aux prochaines?

2. C'est _____ la même chose. Les politiciens parlent et parlent. Mais de quoi?

5. On peut _____ rêver à un monde meilleur.

3. Ma mère est _____ dépassée par son époque.

6. C'est terminé. À partir d'aujourd'hui, je ne mange _____ de soupe!

© Quino/Éditions Glénat

Objectif grammatical
Les expressions de temps :
dans, *pendant*, *encore*, *déjà*,
il y a… que

Objectif de communication
Raconter par écrit des expériences de vacances.

Nouvelles des vacances

A. Voici des courriels et des cartes postales de gens en vacances. En vous inspirant de l'exemple, remplissez les blancs à l'aide d'une expression de temps de l'encadré.

depuis – il y a… – dans – déjà – encore – pendant

Bonjour, maman, papa,

Nous sommes au camp ___depuis___ quatre jours. C'est super !

Tous les jours, on nage dans un lac aux eaux transparentes. Le soir, on chante

autour d'un feu de camp. Raphaël, ça va, mais _____ deux jours qu'il

ne dort pas bien. Un peu mal au ventre. C'est peut-être la nervosité.

Sa première expérience de camp. Rien de grave.

_____ deux jours, on part en camping sauvage. Ça va être le *fun**.

Cinq jours en forêt ! ! ! On prépare _____ nos tentes et nos sacs à dos.

Pas d'eau courante, pas de douches pas de toilettes _____ cinq jours.

J'ai hâte !

Je vous écris à notre retour. J'espère que vous allez bien.

Bisous.

Martin, alias Le Loup de la Forêt Rouge

---

* Registre québécois familier.

Ah la mer!!!

Chers enfants, _____ deux jours que papa essaie
de communiquer avec vous, mais les ordinateurs sont
souvent en panne ici. Une carte postale, ça va plus vite!
Le temps est magnifique. Nous avons vraiment beaucoup
de plaisir. La plongée, c'est excitant! Après trois jours
d'entraînement, nous sommes _____
des experts. Quel spectacle éblouissant que le fond
de la mer, les poissons tropicaux, les algues et les coraux!
Papa n'arrête pas de prendre des photos _____
notre arrivée. Nous avons _____ une centaine
de photos. _____ une semaine, nous partons
en croisière pour la deuxième partie de notre voyage. Bon!
Les poissons m'attendent. Je vous embrasse bien fort.
Maman

Léa et Cédric Morin
4825, rue des Ormes
Sainte-Catherine
Québec
J5C 1L4

Adresse : @

@ Page d'accueil @ Rechercher @ Outils @ Soutien @ Magasin @ Guide @ Réseau @ Bureau @ Fureteur

Buon giorno, les amis!

Je suis à Rome _____ deux semaines. J'étudie l'italien en immersion.
J'ai des cours tous les jours de 9 heures à midi. L'après-midi, nous sortons faire
des activités à Rome ou aux alentours. J'habite chez madame Venticiolli, une Italienne
bien sympathique, et je mange des spaghettis _____ le premier jour.
_____ trois jours que je travaille sur un projet à propos de la ville
de Québec. Je dois le présenter à la classe _____ une semaine.
J'ai _____ un peu de travail, mais ça ira. Rome est une ville magique,
avec une histoire plus que millénaire. J'ai plusieurs photos du Colisée, par exemple,
cet immense stade romain qui existe _____ plus de 2000 ans.

Je reste encore ici _____ trois semaines.
De retour à Québec le 7 août.

À bientôt, toute la gang*!
Francine

Zone Internet

* Registre québécois familier.

B. Louis-Philippe est en vacances au Tibet. Ça fait deux mois qu'il ne donne pas de nouvelles à ses parents, car les communications sont très mauvaises. Un jour, il rencontre un journaliste qui lui prête son téléphone cellulaire. Imaginez le dialogue entre Louis-Philippe et ses parents. En équipes, jouez-le devant la classe.

Dialogue

— _____
— _____
— _____
— _____
— _____
— _____
— _____
— _____
— _____
— _____
— _____
— _____
— _____
— _____
— _____
— _____
— _____
— _____
— _____
— _____

Tableau 1

Exemple *J'ai mal à la gorge parfois.* *Je prends du sirop.*	***Quand*** *j'ai mal à la gorge, je prends du sirop.*
1. Simona a souvent mal à la tête. Elle prend une aspirine.	
2. Jean-Pierre travaille souvent tard le soir. Il va manger au restaurant.	
3. Roberto et Jim écoutent souvent de la musique dans leur chambre. Ils dérangent les voisins.	
4. Richard prend des vacances une fois par année. Il laisse son chien chez son amie Lucie.	
5. Angèle prend l'avion rarement. Elle a mal au ventre.	
6. Gilles et Karl jouent au hockey une fois par semaine. Leurs copines, Marie-Anne et Mélanie, vont au cinéma.	
7. Annick magasine* à certaines périodes de l'année. Les soldes sont intéressants.	

* Expression propre au français du Québec.

Tableau 2

Exemples	*Je prends mon déjeuner à 8 heures.* *Je prends ma douche à 8 h 30.* *Je prends des vacances le 17 avril.* *Je fête mon anniversaire le 15 avril.*	*Je prends mon déjeuner **avant** ma douche.* *Je prends des vacances **après** mon anniversaire.*
1.	Je joue à des jeux vidéo à 9 heures. Je regarde les nouvelles à 10 heures.	Je joue à des jeux vidéo _____ _____ _____
2.	Je soupe à 18 heures. J'arrose mes plantes à 19 heures.	J'arrose mes plantes _____ _____ _____
3.	Nathalie va au restaurant avec Simon à 19 heures. Nathalie et Simon sortent du cinéma à 18 h 30.	Nathalie et Simon vont au restaurant _____ _____ _____
4.	Je vais au supermarché à 10 heures. Je fais une promenade de 9 heures à 10 heures.	Je vais au supermarché _____ _____ _____
5.	Je fais les courses à 16 heures. Je fais le lavage à 14 heures.	Je fais le lavage _____ _____ _____
6.	On va à la piscine le soir. On travaille au bureau l'après-midi.	On va à la piscine _____ _____ _____
7.	Martine prend un bon café à 8 h 30. Martine a un examen à 9 heures.	Martine prend un bon café _____ _____ _____

Tableau 3

Exemple *Il est à Montréal **depuis** quatre jours*	***Il y a** quatre jours qu'il est à Montréal.*
1.	Ça fait une semaine que Véronique est malade.
2. Je suis en vacances depuis deux semaines.	
3. Ma fille a un chat depuis un an.	
4.	Il y a deux ans que j'étudie l'astrologie.
5.	Ça fait quatre ans que Nicoleta prend des cours de pilotage.
6. Paul est végétarien depuis des années.	
7. Jean-Yves et Roman sont amis depuis six ans.	
8.	Il y a quatre jours que mon ordinateur est en panne.
9. Tomas est sans travail depuis deux mois.	
10. Les enfants regardent la télé depuis deux heures.	
11.	Ça fait trois ans que je n'ai pas de nouvelles de Claire.
12.	Il y a cinq mois que j'attends la réponse de l'université.
13. Les résultats sont affichés depuis une semaine.	
14. Tout est en solde depuis dix jours.	
15.	Il y a quelque temps que je cherche un nouvel appartement.

Tableau 4

Exemple *Je n'ai **pas encore** de voiture.*	*J'ai **déjà** une voiture.*
1. Nous n'avons pas encore de réservations.	
2.	Nous avons déjà notre équipement de camping.
3. On ne connaît pas encore la date d'arrivée.	
4. Les prix ne sont pas encore affichés.	
5.	Les magasins sont déjà fermés.
6. Je n'ai pas encore mon permis de conduire.	
7. Les filles n'ont pas encore la permission de leurs parents.	
8.	J'ai déjà toutes les informations.
9. Il n'a pas encore 20 ans.	
10.	Nous parlons déjà trois langues.
11. Je n'ai pas encore mon abonnement au centre sportif.	
12.	Ils sont déjà mariés.
13. Ils n'ont pas encore l'équipement.	
14.	Je suis déjà habitué à mon nouveau quartier.
15. Antonin n'a pas encore les photos.	

Tableau 5

Exemple *Je suis **encore** jeune.*	*Je ne suis **plus** jeune.*
1. Je marche encore une demi-heure par jour.	
2.	Sarah n'habite plus chez ses parents.
3. Vous habitez encore à Montréal ?	
4. Ils font encore du camping tous les ans.	
5.	Je n'ai plus de voiture.
6. Nous sommes encore amis.	
7.	Il ne travaille plus pour les entreprises Citron.
8. Il étudie encore la médecine.	
9.	On ne fait plus les courses le samedi.
10.	Nous n'étudions plus le grec. C'est trop difficile.
11. À 70 ans, Jean-Luc voit encore très bien.	
12.	À 75 ans, il ne fait plus de sports de compétition.
13. À 20 ans, j'ai encore beaucoup de temps devant moi.	
14. Jérémie est encore en excellente santé.	
15.	Je ne supporte plus la chaleur.

Les relations logiques de cause, de conséquence, d'opposition, de comparaison

Sommaire

Tableau grammatical

Les relations logiques

1. La comparaison : les comparatifs

	Exemples
plus aussi } + adjectif + que moins	La famille est **plus importante que** le travail.
plus moins } + de + nom + que autant	À Montréal, il y a **autant de** restaurants qu'à Québec.
bon (meilleur, meilleure, meilleurs, meilleures)	Les pommes du Québec sont **meilleures** que celles des États-Unis.
bien (mieux)	Le soir, je travaille **mieux** que le matin.

2. La cause

	Exemples
parce que	Je prends l'avion **parce que** c'est plus rapide.
à cause de	Je passe trois mois en Floride **à cause de** l'hiver.
comme	**Comme** je ne peux pas venir, je téléphone.
c'est pour ça que	Je suis malade, **c'est pour ça que** je ne viens pas.

3. La conséquence

	Exemple
alors	Je n'ai plus d'argent à dépenser, **alors** je vais rentrer.

4. L'opposition

	Exemple
mais	J'ai mon permis de conduire, **mais** je ne conduis pas très bien.

Travail et famille

A. En équipes, comparez les priorités de Mario Reynolds et de Lucie Laforêt.

plus important – moins important – ça passe avant – ça passe après

Exemple   Les sorties, pour Mario, c'est plus important que pour Lucie.

Les priorités de Mario Reynolds	Prioritaire	Parfois sacrifié	Souvent sacrifié	Il n'a pas le temps
Les enfants	✓			
La conjointe	✓			
Les autres membres de la famille			✓	
Les amis		✓		
La vie sociale		✓		
Du temps pour soi		✓		
Des heures supplémentaires			✓	
Le travail			✓	
Le bénévolat				✓
Les achats			✓	
L'exercice			✓	
Les heures de sommeil		✓		
Les cours de perfectionnement				✓
Les sorties		✓		
Les tâches ménagères				✓

*Les relations logiques de cause, de conséquence,
d'opposition, de comparaison*   **203**

Les priorités de Lucie Laforêt	Prioritaire	Parfois sacrifié	Souvent sacrifié	Elle n'a pas le temps
Les enfants	✓			
Le conjoint		✓		
Les autres membres de la famille				✓
Les amis			✓	
La vie sociale			✓	
Du temps pour soi				✓
Des heures supplémentaires	✓			
Le travail	✓			
Le bénévolat	✓			
Les achats	✓			
L'exercice			✓	
Les heures de sommeil			✓	
Les cours de perfectionnement	✓			
Les sorties				✓
Les tâches ménagères	✓			

B. D'après vous, quelles valeurs sont plus importantes dans la vie? Discutez-en en équipes. Servez-vous des structures de l'encadré.

Les valeurs

- l'amour
- l'amitié
- l'argent
- le travail

- la réussite professionnelle
- la famille
- la vie spirituelle
- la santé

- C'est plus important…
- C'est moins important…
- C'est aussi important…
- Ce qui est le plus important, c'est…

2

Objectif grammatical
Les comparatifs **plus**, **moins**, **aussi**
+ adjectif

Objectif de communication
Comparer des produits de différentes régions.

Produits d'ici et d'ailleurs

A. En équipes, comparez les produits des différents pays. Utilisez les adjectifs fournis en faisant les accords nécessaires et en vous inspirant des exemples.

> **Exemples** Le sirop d'érable québécois est **meilleur que** le sirop d'érable américain.
> Le vin français est **plus savoureux que** le vin californien.

1. Les fraises   du Québec californiennes   frais/fraîche

_____

2. Les voitures   japonaises   américaines 🚗 puissant/puissante

_____

3. Les restaurants   montréalais   new-yorkais   chic

_____

4. Les olives   grecques   espagnoles   cher/chère

_____

5. Le fromage   suisse   hollandais   gras/grasse

_____

6. Le chocolat   belge   allemand   crémeux/crémeuse

_____

7. Les tomates   québécoises   italiennes   beau/belle, beaux/belles

_____

8. Le vin   français   hongrois   savoureux/savoureuse

_____

9. Le thé   anglais   indien   doux/douce

_____

10. Les pommes   du Québec   de la Nouvelle-Angleterre   petit/petite

_____

11. Les tapis   persans   turcs   coloré/colorée

_____

12. Les cigares   cubains   allemands   gros/grosse

_____

13. Le saumon   canadien   américain   bon/bonne, meilleur/meilleure

_____

14. La soie   chinoise   japonaise   résistant/résistante

_____

B. Écrivez des comparaisons en utilisant les comparatifs *bon marché* et *meilleur marché*.

1. Les cigares cubains _____

2. Le chocolat belge _____

3. Les roses _____

4. Un appartement au centre-ville _____

5. Le téléphone cellulaire _____

3

Objectif grammatical
Les expressions de cause : *à cause de*
(*du*, *de la*, *de l'*, *des*), *c'est pour ça que...*

Objectif de communication
Exprimer une cause.

Comment se fait-il...?

A. En équipes, expliquez les raisons de vos choix.

Exemple   Alors, vous ne sortez pas ce soir ?

Non, **c'est à cause du mauvais temps**.

1. Alors, vous ne faites pas de voyage aux Bahamas ?

2. Pourquoi abandonnez-vous ce cours de chinois ?

3. Marianne ne vient pas à la fête. Pourquoi ?

4. Alors, l'avion est retardé de cinq heures ?

5. Alors, il n'y a pas de collecte de déchets
cette semaine ?

6. Alors, tu ne veux plus aller faire du camping
au mois de juin ?

7. Alors, vous déménagez ? Pourquoi ?

8. Vous ne prenez pas ce manteau ? Pourquoi ?

9. Vous êtes en retard ce matin…

10. Le bébé est couvert de boutons rouges.
Penses-tu qu'il est malade ?

11. Tu vas en Floride au mois de janvier. Pourquoi ?

> la pluie
>
> le prix
>
> le professeur
>
> la chaleur
>
> la couleur
>
> l'espace
>
> la grève des cols bleus
>
> l'embouteillage
>
> Luc
>
> les mouches noires
>
> la tempête
>
> l'hiver

DÉMÉNAGEMENT

---

*Les relations logiques de cause, de conséquence,
d'opposition, de comparaison*

B. Complétez les dialogues en vous inspirant de l'exemple.

Exemple A : – Vous ne prenez pas le manteau ! Il est tellement beau !
B : – C'est à cause de la couleur.
A : – Ah, vous n'aimez pas la couleur, c'est pour ça que vous ne prenez pas le manteau…
B : – Oui, c'est ça.

1. A : – Tu vas encore en Floride cet hiver ?

B : – _____

A : – _____

B : – _____

2. A : – Vous êtes en retard ce matin…

B : – _____

A : – _____

B : – _____

3. A : – Tu ne veux pas faire de camping au mois de juin ? Mais c'est le printemps !

B : – _____

A : – _____

B : – _____

4. A : – C'est vrai ? Vous déménagez ? Mais vous habitez un bel appartement !

B : – _____

A : – _____

B : – _____

5. A : – L'avion est en retard. Il est encore à Toronto.

B : – _____

A : – _____

B : – _____

Les relations logiques de cause, de conséquence, d'opposition, de comparaison

Désolé, mais...

A. En équipes, répondez aux questions en donnant la raison de votre refus.

> Exemple   Désolé, **mais** j'ai trop peur de prendre l'avion.

1. As-tu envie de regarder un film à la télé ce soir ?

2. Dimanche prochain, on va à la campagne ?

3. On va manger du poulet ?

4. Pouvez-vous faire le ménage ?

5. Tu viens me chercher à l'aéroport ?

6. Un morceau de gâteau au chocolat ?

7. On pourrait sortir ce soir ?

8. Je peux parler au médecin ?

9. On prend une semaine de congé ?

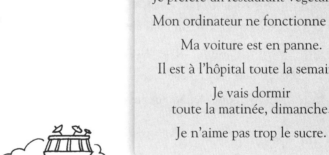

Excuses

Mon ami est malade.

Ce soir, je préfère rester à la maison.

J'ai beaucoup de travail.

Je dois aller chez le coiffeur.

Je préfère un restaurant végétarien.

Mon ordinateur ne fonctionne pas.

Ma voiture est en panne.

Il est à l'hôpital toute la semaine.

Je vais dormir
toute la matinée, dimanche.

Je n'aime pas trop le sucre.

B. Récits de voyage

Répondez aux questions. Expliquez les problèmes qu'on peut éprouver en vacances en vous inspirant de la série d'images.

1. Alors, l'hôtel de l'Étoile ? L'hôtel est très beau, mais _____.

2. Et les chambres ? Les chambres sont belles, mais _____.

3. Et la plage ? L'eau est chaude, mais _____.

4. Et les repas ? Le déjeuner est excellent, mais _____.

5. Et le temps ? Il fait très chaud, mais _____.

6. Et les sites archéologiques ? Ils sont intéressants, mais _____.

7. Le voyage en avion ? Il dure seulement trois heures, mais _____.

8. La voiture de location ? Les voitures sont belles, mais _____.

9. Et les boutiques ? Il y a beaucoup de boutiques d'artisanat, mais _____.

10. Et les gens ? Ils sont chaleureux, mais _____.

Les relations logiques de cause, de conséquence, d'opposition, de comparaison

© 2006 Marcel Didier inc. — Reproduction interdite

Objectif grammatical	**Objectif de communication**
Les expressions d'opposition et de conséquence **mais** et **alors**	Exprimer une relation logique d'opposition et de conséquence.

Récits

A. Regardez les séries d'images. Racontez ce qui se passe à l'aide des mots liens *mais* et *alors*.

Exemple

L'enfant de Marie veut s'acheter une auto, **mais** *il a 15 ans.* **Alors,** *il ne peut pas avoir de permis*

ni de voiture. _____

1. Marie et Dimitri _____

_____

2. Kevin et Gustave _____

_____

3. Nicolas _____

_____

4. Stéphanie _____

_____

Les comparatifs
plus/moins/aussi + *adjectif*... que

Tableau 1

Exemple   *Le Canada est **plus grand que** les États-Unis mais **moins grand que** la Russie.*

---

1. (long) Le fleuve Yang Tse (6 378 km) est _____ l'Amazone (6 280 km) mais _____ le Nil (6 671 km).

---

2. (haut) L'Aconcagua (6 959 m) est _____ le mont Everest (8 844 m) mais _____ le mont Elbert (4 401 m).

---

3. (chaud) De manière générale, à Cuba, il fait _____ en Jamaïque, mais _____ à Vancouver.

---

4. (pollué) La ville de Bangkok est _____ la ville de Mexico.

---

5. (grand) Toronto, c'est _____ Montréal, mais _____ New York.

---

6. (rapide) Le TGV (train à grande vitesse) est _____ l'avion, mais _____ l'automobile.

---

7. (dangereux) Les sports extrêmes sont _____ tous les autres sports.

---

8. (intéressant) Les musées de Madrid sont _____ que ceux de Paris.

Les relations logiques de cause, de conséquence, d'opposition, de comparaison

Tableau 2

Exemples	*Ce soir, je travaille, **mais** je peux venir demain.*
	*Ce soir, je travaille, **alors** je ne sors pas.*

1. Mon copain Simon a froid aux oreilles, _____ il ne veut pas mettre un chapeau.

2. On peut écouter de la musique en ligne, _____ il est interdit de la télécharger.

3. On amène les enfants voir le Cirque du Soleil en fin de semaine, _____ ils sont bien contents.

4. Ça fait trois jours qu'il pleut, _____ demain il fera beau, selon le service météorologique.

5. Simone m'invite à sa fête, _____ il faut que je lui achète un beau cadeau.

6. Nous avons l'intention de faire un voyage en Australie, _____ nous avons besoin de faire une demande de passeport.

7. J'ai mon passeport, _____ je n'ai pas assez d'argent pour acheter un billet d'avion.

8. Je trouve ce CD très bon, _____ je vais me le procurer.

9. Le café a bon goût, _____ il est mauvais pour la santé. Les médecins recommandent le thé vert.

10. Tous mes amis regardent la télé plusieurs heures par semaine, _____ moi, je préfère lire un bon livre.

Tableau 3

> Exemples *Nous ne pourrons pas être présents **à cause de** notre emploi du temps.*
>
> *Nous ne pourrons pas être présents **parce que** nous avons beaucoup de choses à faire.*

1. Les vols sont annulés _____ la tempête.

2. Pierre-Marie se dépêche _____ il est en retard.

3. Jérôme ne prend pas de café _____ c'est mauvais pour la santé.

4. Franco souffre du diabète. _____ sa maladie, il ne peut pas manger de dessert.

5. Ramzi dort pendant la journée _____ il travaille la nuit.

6. On ne veut pas participer à cette expédition dans le bois _____ on n'a pas l'équipement nécessaire.

7. Ce *party** est ennuyant _____ la musique.

8. Cette année, nos amis ne viennent pas à Cuba avec nous _____ de l'argent. Le voyage coûte trop cher.

9. Je ne peux pas prendre de photos _____ mon appareil ne fonctionne plus.

10. Je ne peux pas venir avec vous cette fin de semaine _____ du chien. Les chiens ne sont pas permis dans ce complexe hôtelier.

* Registre québécois familier, mot anglais signifiant «fête».

Tableau 4

Exemples *Je ne peux pas visionner ce film sur mon ordinateur **parce que** je n'ai pas de lecteur de DVD.*

*Je n'ai pas de lecteur de DVD dans mon ordinateur, **c'est pour ça que** je ne peux pas visionner ce film.*

1. Je ne mange pas de viande parce que je suis végétarienne.

_____

2. Michel a beaucoup de travail, c'est pour ça qu'il ne vient pas au pique-nique.

_____

3. Stéphane préfère rester à la maison parce qu'il n'aime pas le plein air.

_____

4. Je veux améliorer ma forme physique. C'est pour ça que je vais au gym.

_____

5. La circulation est très lourde en ville. C'est pour ça que nous préférons le vélo.

_____

6. Je ne vais pas au concert de samedi parce que je déteste ce groupe.

_____

7. Tout le monde arrive à 9 heures parce que les billets sont moins chers avant 10 heures.

_____

8. Tu ne lis pas le mode d'emploi. C'est pour ça que tu ne comprends pas comment ça fonctionne.

_____

9. Je vais suivre un cours de conduite parce que je voudrais avoir mon permis de conduire.

_____

10. À midi, il fait trop chaud. C'est pour ça que tout le monde quitte la plage.

_____

**Les relations logiques de cause, de conséquence,
d'opposition, de comparaison**

8 Le passé

Sommaire

Tableau grammatical

A. Le passé récent

Verbe *venir* + DE + infinitif ═ Action récente

Exemples   Je **viens d'**arriver.

Tu **viens de** recevoir un courriel.

Il (elle, on) **vient de** manger

On **vient d'**appeler les étudiants.

Nous **venons de** parler à Patrick.

Vous **venez de** rentrer.

Elles (ils) **viennent de** présenter le projet.

B. Le passé composé

1. Auxiliaire *être* ou *avoir* (au présent) + participe passé ═ Action ponctuelle
Action terminée

La plupart des verbes se conjuguent avec l'auxiliaire *avoir*.

Exemples   J'**ai réparé** le vélo.

Tu **as trouvé** la recette des crêpes.

Il (elle, on) **a appelé** Nicolas.

On **a acheté** des sushis.

Nous **avons regardé** un film.

Vous **avez voyagé**.

Elles (ils) **ont suivi** un cours d'informatique.

2. Participes passés

- **é**
  verbes terminés en –ER (*étudier, réparer, acheter...*)

  terminer $\rightarrow$ terminé

  acheter $\rightarrow$ acheté

  étudier $\rightarrow$ étudié

- **–is, –it, –u**
  verbes terminés en –RE, –IR, –OIR

prendre	$\rightarrow$ pris	répondre	$\rightarrow$ répondu	
comprendre	$\rightarrow$ compris	attendre	$\rightarrow$ attendu	
voir	$\rightarrow$ vu	lire	$\rightarrow$ lu	
boire	$\rightarrow$ bu	écrire	$\rightarrow$ écrit	
mettre	$\rightarrow$ mis	dire	$\rightarrow$ dit	
faire	$\rightarrow$ fait	vouloir	$\rightarrow$ voulu	
venir	$\rightarrow$ venu	pouvoir	$\rightarrow$ pu	
vendre	$\rightarrow$ vendu	devoir	$\rightarrow$ dû	

- **–i**
  verbes terminés en –IR

  finir $\rightarrow$ fini

  grossir $\rightarrow$ grossi

C. L'imparfait

Radical de la première personne du pluriel du présent de l'indicatif + terminaison de l'imparfait	**=**	**Action en cours de déroulement Habitude Souvenir**

Exemple

Le verbe *terminer*

1re personne du pluriel du présent de l'indicatif	Conjugaison de l'imparfait
Nous <u>termin</u> ONS	$\rightarrow$ Je <u>termin</u> AIS
	$\rightarrow$ Tu <u>termin</u> AIS
	$\rightarrow$ Il (elle, on) <u>termin</u> AIT
	$\rightarrow$ On <u>termin</u> AIT
	$\rightarrow$ Nous <u>termin</u> IONS
	$\rightarrow$ Vous <u>termin</u> IEZ
	$\rightarrow$ Elles (ils) <u>termin</u> AIENT

1

Objectif grammatical
Le passé récent

Objectif de communication
Parler d'une action qui vient de se produire.

Je viens tout juste de...

A. Regardez l'image, puis dites ce qui vient de se produire pour chaque personne ou situation. Utilisez les expressions de l'encadré.

> Un monsieur **vient de** + infinitif
>
> Une dame **vient tout juste de** + infinitif

B. Complétez les bribes des dialogues suivants à l'aide du passé récent.

Exemple   – Je **viens** tout juste **de perdre** mon porte-monnaie.
              Vous ne l'avez pas vu, par hasard ?
            – Non, désolé.

1. – _____ un livre sur cette table.

Vous ne l'avez pas vu, par hasard ?

– Je ne pense pas. Moi, _____, ça fait juste cinq minutes.

– Merci.

2. – Maman, tu peux me passer 10 $ pour acheter une revue ?

– Mais, voyons, tu _____ une revue.

Encore une autre ?

3. – Oh non, quelle malchance ! Je _____

mon téléphone cellulaire. C'est le troisième téléphone que je perds en trois mois.

4. – Vous venez nous chercher alors ? Nous _____. Nous sommes en route.

– Nous vous attendons à l'aéroport alors, près de la sortie des arrivées.

Vol bien planifié

A. Regardez les illustrations, puis, sous chacune d'elles, écrivez ce que le voleur a fait.
Utilisez le passé composé.

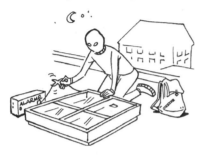

A. _____
_____
_____

B. _____
_____
_____

C. _____
_____
_____

D. _____
_____
_____

E. _____
_____
_____

F. _____
_____
_____

G. _____
_____
_____

H. _____
_____
_____

I. _____
_____
_____

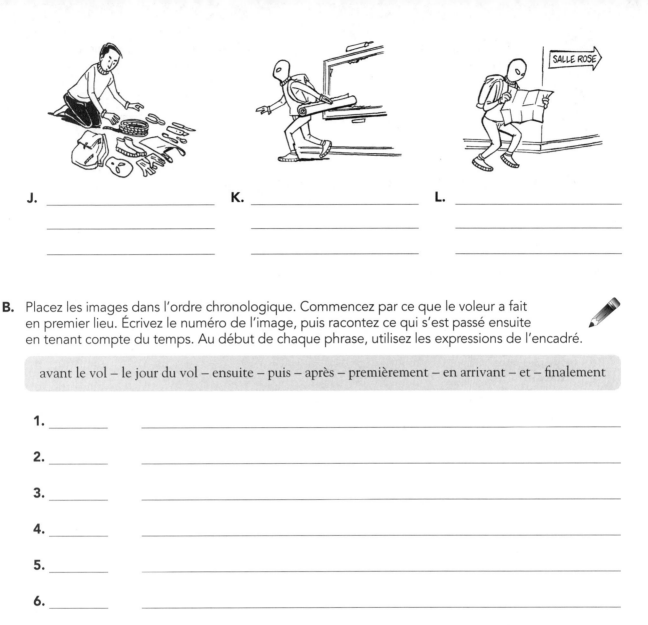

J. _____
_____
_____

K. _____
_____
_____

L. _____
_____
_____

B. Placez les images dans l'ordre chronologique. Commencez par ce que le voleur a fait en premier lieu. Écrivez le numéro de l'image, puis racontez ce qui s'est passé ensuite en tenant compte du temps. Au début de chaque phrase, utilisez les expressions de l'encadré.

avant le vol – le jour du vol – ensuite – puis – après – premièrement – en arrivant – et – finalement

1. _____ _____

2. _____ _____

3. _____ _____

4. _____ _____

5. _____ _____

6. _____ _____

7. _____ _____

8. _____ _____

9. _____ _____

10. _____ _____

11. _____ _____

12. _____ _____

3

Objectif grammatical
L'imparfait

Objectif de communication
Parler d'une situation de vie avant et après
un changement.

Adieu la ville, bonjour la nature !

A. Ces gens ont décidé de changer de vie. Remplissez les blancs à l'aide d'un verbe conjugué à l'imparfait.

1. Louise Bertrand, 35 ans

Elle habite au Yukon, où elle élève des chiens de course. Elle aime la nature même si, dans ce coin du Canada, il fait froid toute l'année.

Avant cela...

Louise _____ dans la banlieue d'Ottawa, où elle _____

un appartement confortable. Elle _____ comme secrétaire

dans une clinique médicale.

2. Sylvie et Christophe, 45 et 49 ans

Aujourd'hui, ils vivent sur un voilier et voyagent autour du monde. Leur vie est très solitaire, mais ils aiment l'aventure et ne pensent pas retourner sur la terre ferme pour l'instant.

Avant cela...

Christophe _____ un très bon travail comme cadre dans une grande

entreprise de la région de Toronto. Il _____ tout le temps stressé

et de mauvaise humeur. Il _____ souvent des heures supplémentaires

et ne _____ pas très bien avec son patron.

Sylvie _____ comme infirmière à l'hôpital général de Toronto.

Elle _____ un horaire irrégulier et _____

souvent travailler la nuit.

Ils _____ seulement une heure par jour ensemble à cause

de leurs horaires.

C'_____ une vie de fou !

3. Roger, 30 ans, propriétaire d'une ferme écologique

Roger est propriétaire d'une ferme écologique. Sa passion? Les produits biologiques. Il ne pense pas revenir à son ancienne vie.

Avant cela...

Il _____ à Montréal, dans un appartement sympathique près du mont Royal. Il _____ policier. Il _____ souvent du vélo sur le mont Royal ou il _____ à la campagne la fin de semaine pour décompresser. Il _____ une motoneige. Il _____ souvent à changer de vie et à quitter son emploi.

B. Ces personnes ont changé de style de vie. Imaginez leur vie avant ce changement.

1. Jean-Daniel, 40 ans, divorcé, travaille comme coopérant en Afrique.

_____

_____

_____

_____

_____

_____

_____

2. Marie-Paule, 45 ans, ex-agente de bord, vend des boissons sur la plage au Costa Rica.

_____

_____

_____

_____

_____

_____

_____

3. Antonia, 55 ans, retraitée, aide des enfants malades dans un hôpital thaïlandais.

_____

_____

_____

_____

_____

_____

_____

Titanic

A. Voici quelques renseignements à propos du *Titanic* et des événements qui se sont déroulés la nuit de son naufrage. Lisez-les.

1. Les musiciens ont chanté jusqu'au dernier moment.

2. Le paquebot a envoyé le dernier message radio à 2 heures 17 minutes.

3. Le veilleur a vu l'iceberg.

4. Le bateau a coulé le 12 avril 1912.

5. Le *Californian* a averti le *Titanic* de la présence d'icebergs.

6. Plusieurs canots de sauvetage ont quitté l'embarcation avec des passagers à bord.

7. Le bateau a coulé pendant sa première traversée.

8. Le *Titanic* a été construit au coût de 7,5 millions de dollars américains.

9. Après l'impact, plusieurs personnes sont allées se coucher.

10. Le paquebot a pris la direction de New York.

11. 1490 personnes sont mortes dans le naufrage.

12. Le bateau a coulé à 2 heures 18 minutes du matin.

13. Beaucoup de passagers pris de panique ont sauté à l'eau.

14. 705 personnes ont survécu au naufrage.

15. Le *Carpathia* est arrivé près du *Titanic* 1 heure 20 minutes après la tragédie.

16. Le commandant est resté à bord jusqu'au dernier moment.

B. Répondez aux énoncés ci-dessous par *oui*, *non* ou *on ne sait pas*.

	Oui	Non	On ne sait pas
1. Tous les animaux sont morts.	❑	❑	❑
2. Le commandant a quitté le navire parmi les premiers.	❑	❑	❑
3. Le bateau a coulé à 3 heures moins 18 minutes.	❑	❑	❑
4. Beaucoup de passagers ont sauté à l'eau.	❑	❑	❑
5. Le bateau est parti de New York.	❑	❑	❑
6. Le *Titanic* a coûté moins de 10 millions de dollars américains.	❑	❑	❑
7. L'impact a réveillé quelques passagers.	❑	❑	❑
8. Le choc a été violent.	❑	❑	❑
9. 1490 personnes sont mortes.	❑	❑	❑
10. Le *Carpathia* est arrivé sur les lieux 1 heure 20 minutes après l'impact.	❑	❑	❑
11. Le *Titanic* n'a reçu aucun avertissement de la présence d'icebergs.	❑	❑	❑
12. Le veilleur a vu une montagne de glace flottante.	❑	❑	❑

C. Un peu de vocabulaire ! Cochez la bonne réponse.

Un veilleur

a) ❑ Son travail est d'observer la mer pour voir s'il y a des obstacles devant le bateau.

b) ❑ Son travail est de veiller à ce que les passagers soient bien servis.

c) ❑ Son travail consiste à changer la direction du bateau.

Un paquebot

a) ❑ Un énorme paquet.

b) ❑ Un énorme bateau.

c) ❑ Un énorme canot de sauvetage.

Un message de détresse

a) ❑ Un message qu'on envoie en cas de problème grave pour recevoir de l'aide.

b) ❑ Un message qu'on envoie par la poste pour recevoir de l'aide.

c) ❑ Un signal lumineux.

Couler

a) ❑ Réduire la vitesse.

b) ❑ Augmenter la vitesse.

c) ❑ Disparaître sous l'eau.

Objectifs grammaticaux
Le passé composé
Les formes affirmative et négative

Objectif de communication
Raconter une journée typique.

5

Une journée bien chargée

A. Regardez l'image de la page précédente, puis répondez par *vrai* ou *faux*.

	Vrai	Faux
1. Il a passé l'aspirateur.	❏	❏
2. Il a lavé la voiture.	❏	❏
3. Il a préparé le souper aux enfants.	❏	❏
4. Il a conduit les enfants à la garderie.	❏	❏
5. Il a fait de la bicyclette.	❏	❏
6. Il a rangé les manteaux.	❏	❏
7. Il a écouté de la musique.	❏	❏
8. Il a travaillé à son ordinateur.	❏	❏
9. Il a réparé une fenêtre.	❏	❏
10. Il a parlé au téléphone.	❏	❏
11. Il a déjeuné au restaurant.	❏	❏
12. Il a habillé les enfants.	❏	❏
13. Il a fait une pause.	❏	❏
14. Il a dormi.	❏	❏
15. Il a rangé la cuisine.	❏	❏

B. Regardez l'image de la page précédente, puis lisez et rectifiez les affirmations de la colonne de gauche. Écrivez dans la colonne de droite ce que l'homme a réellement fait. Inspirez-vous de l'exemple.

Exemple   Il a embrassé **son chat**.   Il a embrassé **sa femme**.

1. Il a conduit sa femme au travail. _____

2. Il a commandé un repas au restaurant. _____

3. Il a nettoyé sa table de travail. _____

4. Il a rangé la bibliothèque. _____

5. Il a fait de la gymnastique devant la télé. _____

6. Il a travaillé au bureau. _____

7. Il a fait le lit des enfants. _____

8. Il a ouvert le courrier. _____

9. Il a amené les enfants au restaurant. _____

10. Il a passé l'aspirateur dans le garage. _____

C. Racontez à un ou à une partenaire les activités que vous avez faites hier, à la maison.

6

Objectif grammatical
L'imparfait

Objectif de communication
Comprendre un récit simple.

La création des oiseaux : une légende micmacque

La création des oiseaux

En ce temps-là, il n'y avait pas d'oiseaux et très peu d'animaux. Les enfants jouaient avec des feuilles pendant six lunes seulement. À la septième lune, Ours Blanc soufflait le froid sur les arbres. Et Loup Hurleur balayait les feuilles. Alors, les enfants ne pouvaient plus jouer. Arrivait le moment du jeûne et du séjour dans la loge à transpirer. Au sortir de la loge, après le jeûne rituel, les enfants ne pouvaient pas prendre le nom d'une petite bête, car les petites bêtes avaient froid et se cachaient.

Après le passage d'Ours Blanc, les enfants étaient tristes pendant plusieurs jours et ne mangeaient pas leur sagamité*.

Un jour, une petite fille sans nom qui regarde tomber les feuilles parle à Gouseclappe :

« Ô toi, créateur de la terre et de l'eau, fais quelque chose si tu veux que les enfants portent un nom et mangent leur sagamité. »

Gouseclappe l'entend. Quand le mois des fleurs arrive, Vent du Sud défait le travail d'Ours Blanc. Alors, Gouseclappe ramasse les feuilles et souffle dessus. Des oiseaux de toutes les couleurs s'envolent, se posent sur les arbres et commencent à chanter.

---

* Sagamité : plat amérindien à base de maïs.

A. Dans le texte « La création des oiseaux », repérez les verbes à l'imparfait, puis écrivez-les ci-dessous.

_____   _____

_____   _____

_____   _____

_____   _____

B. Avez-vous bien compris le texte ? Cochez la bonne réponse.

1. Qui est le dieu de l'hiver ?

❑ Gouseclappe.

❑ Ours Blanc.

❑ Loup Hurleur.

2. Loup Hurleur est

❑ un vent d'hiver ;

❑ un vent d'automne ;

❑ un vent du printemps.

3. Après le passage d'Ours Blanc, les enfants étaient

❑ contents ;

❑ tristes ;

❑ fatigués.

4. Gouseclappe est le dieu

❑ de l'hiver ;

❑ des oiseaux ;

❑ de la terre et de l'eau.

5. Les enfants ne mangeaient pas leur sagamité

❑ pendant le passage d'Ours Blanc ;

❑ après le passage d'Ours Blanc ;

❑ avant le passage d'Ours Blanc.

6. Qui crée les oiseaux ?

❑ Vent du Sud.

❑ Loup Hurleur.

❑ Gouseclappe.

 **Saviez-vous que...**

Il existe un film, intitulé *La Création des oiseaux*, sur cette légende amérindienne.

Il s'agit d'un film d'animation du cinéaste québécois Frédéric Back.

Tableau 1

Lisez les énoncés suivants. Dans les colonnes de droite, comme dans l'exemple, indiquez si le verbe est conjugué au passé composé ou à la forme du passé récent.

	Passé composé	Passé récent
Exemple *Pierre **a acheté** un ordinateur.*	X	
1. Il vient de comprendre la situation.		
2. J'ai organisé une fête.		
3. Mes parents viennent de rentrer.		
4. La location de la voiture a coûté 200 $.		
5. On vient de téléphoner à Marc.		
6. Yannick a payé la facture de téléphone.		
7. Suzanne et Pierre ont pris des vacances.		
8. Je viens de recevoir une lettre de ma mère.		
9. Nous avons bu une tasse de thé.		
10. On a lavé les fenêtres de la cuisine.		
11. J'ai attendu son appel.		
12. Nous venons de vendre la maison.		
13. Vous venez de faire les courses.		
14. Vous avez imaginé cette histoire.		
15. Yvon vient de partir.		

Tableau 2

Complétez le tableau en vous inspirant de l'exemple.

Passé récent	Présent de l'indicatif	Futur proche
Exemple *Je viens de faire* ce travail.	*Je fais* ce travail.	*Je vais faire* ce travail.
1. Nous venons d'écouter ce CD.		
2.	Je regarde le dernier film de Denys Arcand.	
3.		Tu vas préparer un gâteau.
4. Vous venez d'acheter deux billets.		
5.		Luc et Jean vont faire une première expérience de camping sauvage.
6.	Tu fais tes courses.	
7. Marie-Louise vient d'arriver.		
8.	Je lis le mode d'emploi.	
9.		Nicole va prendre un café.
10. On vient de comprendre.		
11. Je viens de faire la vaisselle.		
12.	On ferme la porte.	
13.	Nous réparons la porte.	
14. Vous venez de finir le projet.		
15.	Tu vends ta maison.	

Le passé composé,
le présent de l'indicatif
Verbes du premier groupe

Tableau 3

Complétez le tableau en vous inspirant de l'exemple.

Présent	Passé composé
Exemple **Tu regardes** le film.	**Tu as regardé** le film.
1. Ils écoutent de la musique.	
2. Anne-Marie prépare un travail.	
3.	Tristan a invité ses amis.
4. J'achète de nouveaux meubles.	
5.	Nous avons visité la région.
6. On repasse les chemises.	
7.	J'ai appelé les enfants.
8.	Vous avez essayé un pantalon.
9. Tu tournes à droite.	
10. Vous habillez les enfants.	
11.	On a traversé le pont.
12. Les passagers sautent à l'eau.	
13.	L'alarme a sonné.
14.	Le bateau a coulé.
15. Il neige.	

Tableau 4

Complétez le tableau en vous inspirant de l'exemple.

Exemple *Nous finissons notre travail.*	*Nous avons fini notre travail.*
1. Vous faites ce travail.	
2.	Tu as vu l'accident.
3. Je prends la route du Nord.	
4.	Nous avons écrit le rapport.
5.	J'ai pris la ligne d'autobus 65.
6.	Felicia a mis la table.
7. Saul vend son vélo.	
8.	Roy a reçu une invitation.
9. Je conduis ma fille chez le dentiste.	
10. Vous dites la vérité.	
11. On fait une réunion samedi.	
12.	On a connu les amis de Clara.
13. Marie apprend à conduire.	
14.	Vous avez répondu au téléphone ?
15. Nous dormons.	

Le passé composé :
formes affirmative et négative

Tableau 5

Complétez le tableau en vous inspirant de l'exemple.

Exemple *Francine **a fait** un gâteau.*	*Francine **n'a pas fait** de gâteau.*
1. J'ai acheté un livre d'art.	
2.	On n'a pas compris le message.
3. Javier a travaillé pour cette entreprise l'année passée.	
4. Mes voisins ont arrosé les plantes sur le balcon.	
5.	Lucie n'a pas amené son chat chez le vétérinaire.
6.	Je n'ai pas suivi ce cours avant.
7. Micheline a entendu un bruit dans la cave.	
8. La pharmacie a fermé.	
9. Hier, il a fait chaud.	
10.	Les étudiants n'ont pas participé à la conférence.
11. Nous avons étudié la question.	
12. L'avion a décollé.	
13.	Elle n'a pas ouvert le paquet.
14. Mes ados ont loué des films.	
15.	Je n'ai pas fermé la fenêtre avant de partir.

Tableau 6

Complétez le tableau en vous inspirant de l'exemple.

Exemple ***Je passe*** *l'aspirateur.*	***Je passais*** *l'aspirateur.*
1. Nous dessinons.	
2. J'habite au centre-ville.	
3.	Vous étiez toujours accompagné.
4. J'aime les animaux.	
5. Tous les matins, je marche 10 minutes.	
6.	Je faisais du jardinage tous les étés.
7. À midi, ils sortent.	
8. On regarde une émission à la télé.	
9.	Vous préfériez la campagne.
10. Nous rentrons vers 6 heures.	
11.	Tous les matins, je prenais un café au lait.
12. On attend le métro.	
13. La vie est chère dans cette ville.	
14. Nous avons des amis coréens.	
15.	J'arrivais toujours 10 minutes à l'avance.